별들은 하루도 빠짐없이 반짝이고 있다

별들은 하루도 빠짐없이 반짝이고 있다

최혜

어효은

이수영

한량죠죠

SY

김정헌

채민

白夜(백야)

　　여기, 저마다 고유한 이야기를 담아낸 여덟 편의 글이 있다.

　　일상의 소소한 행복을 발견하며 자신만의 의미 있는 행복이라는 시간의 공간을 만난 이야기.

　　항상 닿지 않는 10cm의 거리에도 '모든 사람은 각각의 궤도를 돌며 어떤 형태로든 존재할 뿐'이라는 문장에 위로받았던 이야기.

　　어느 이방인이 온전히 쉴 수 있는 공간을 만나 어떤 소음도 없이 쉼을 느꼈던 이야기.

　　어딘가에 있을 것만 같은 따듯한 공간과 사람들을 만나 시작된 꿈을 담은 이야기.

　　인생에서 가장 기억에 남았던 순간들을 담은 이야기.

　　함께 여행을 다녀온 듯한, 언제든 꺼내볼 수 있는 여행의 추억과 도전을 담은 이야기.

　　누군가를 사랑하는 애틋한 마음, 사랑을 배울 수 있었던 이야기.

　　제주 애월 바다에 그리워하는 마음을 흘려보낸 이야기.

6주간 글을 썼다. 어김없이 마감일이 찾아왔다. 아쉬움도 남지만, 찾아와준 이야기 속 인물들에게 고마운 마음이다. 함께 한 분들과 선생님께도 감사한 마음을 전한다.

굳어진 채 사는 것보다 눈물 흘릴 수 있는 삶을 택하고 싶다. 누에고치가 고치 안에서 기약 없는 기다림 끝에 자유롭게 날아오르듯, 누구에게나 살아내고 견뎌내야 하는 날들이 찾아올 때가 있다. 오롯이 혼자 감내해야 하는 지독히 고독한 나날들이. 고치 안에서의 시간을 버티게 해줄 기억들은 그래서 소중하다. 우리는 그 기억을 추억이라고 부른다. 그런 추억을 선물 해준 별들에게 고맙다.

별이 보이지 않는 낮에도 구름이 잔뜩 낀 날에도 저 너머 우주에서 별들은 하루도 빠짐없이 반짝이고 있다. 모든 존재가 어떤 순간에도 별처럼 빛나고 있다고 생각한다. 반짝인다는 표현은 그 존재 자체로 충분하고 소중하다는 의미이다. 이곳에서 반짝이는 마음들을 만났다. 어찌나 한분 한분 반짝이던지.

이야기를 선물한, 이야기를 선물 받은 존재들 모두 건강하길, 평온
하기를.

오늘도, 아침도, 밤도, 새벽도, 그리고 다시 찾아올 오늘도.

별들의 노래

아침에 눈을 떠 하늘을 바라봐요.

지난밤 꿈들은 나비처럼 날아가네

떨리는 눈동자 그 속에 담겨있는

우리의 이야기 모두 다 흘러가네

우리 모두 언젠가 잠이 들 텐데

편안한 바다에 누워

숨 쉬어봐 마음을 느껴봐요

언젠가 다시 만나요

별이 떠오르는 곳

우린 늘 여기에 있어요. 우린.

사람은 사랑 없이 살 수 없다. 함께 하기에 이야기는 시작된다.

- 공동저자 中 어효은

차 례

토요일 저녁 여덟 시,
낙원 카페에서 만나요.

최혜

최 혜   우연히 들른 여행지, 우연히 보게 된 영화, 우연히 맛본 음식들이 나의
숨겨진 감각을 발견해 주기를 기대하며 끈질기게 꿈을 찾고 있습니다.
그리고 언젠가 한가득 고민을 짊어지는 날이 온다면, 노란빛이 새어
나오는 낙원 카페를 발견하고 싶습니다. 끝없는 도전과 절망 속에서도
자신을 위한 용기를 잃지 않기를 바랍니다.

1. 낙원 카페. 나무판자를 이어 붙인 간판과 고동색 페인트로 칠해진 외관은 도심 한 가운데 심어진 그루터기처럼 보였다. 미닫이문을 사이로 양쪽에 나 있는 아치형 창문 너머에는 샛노란 불빛이 흘러나왔다.

　두터운 미닫이문이 열리자 맑은 종소리와 함께 고소한 커피콩 냄새가 코끝을 스쳤다. 테이블이 네 개뿐인 작은 내부였다. 카운터에는 안경을 쓴 사십 대 중반의 사장님이 인사를 건넸다. 나는 커피 한 잔을 주문하고 자리에 앉았다.

　노트북 전원을 켜자 밀린 업무 메시지들이 파도처럼 몰려들었다. 숨을 내쉬고 하나씩 정리했다. 월급은 적고 해야 할 일은 많은 작은 회사지만, 단순한 길을 택한 건 나였기에 괜한 푸념 따위 늘여놓지 않는다. 어느새 창 너머 밝음은 사라지고 푸르스름한 저녁이 내려앉았다. 둥근 커피잔에는 마른 입술 자국만 남았다. 뻐근해진 목을 지그시 누른 뒤 의자에 걸어둔 코트를 입었다. 가져온 짐들을 챙겨 일어서려던 때, 맞은 편 벽면을 가득 메운 책장이 눈에 들어왔다.

두 손을 뻗어도 닿지 않을 만한 커다란 책장 안에는 무지개 물고기가 스쳐 가듯 표지와 두께가 가지각색의 책들이 가득 꽂혀 있었다. 그수가 얼마나 많던지 책장의 남은 자투리 부분까지 모조리 책으로 메울 정도였다. 가까이 다가가 살폈다. 들어본 제목도 있지만 처음 보는 제목이 더 많았다. 손끝에 닿는 촉감이 서걱거렸다. 짧은 전율이 흘렸다.

"꺼내 읽으셔도 돼요. 판매하는 상품도 있지만 손님들 보시라고 전시해 둔 거거든요."

뒤에서 사장님이 말을 걸었다. 내가 빨간 표지로 된 책을 한 권 고르자 사장님은 "개인이 낸 책이에요."라며 짧은 줄거리를 설명했다. 마치 자신의 가장 가까운 곳을 보여주듯 자연스러운 모습이었다. 내가 개인도 책을 낼 수 있는지 묻자, 그는 그렇다며 책장 가장 끝, 내게는 보이지 않던 얇은 책을 꺼내 보여주더니 자신이 쓴 책이라고 했다. 카페 전경이 표지로 장식된 얇은 시집이었다.

시집을 구입했다. 사장님은 책을 사라는 말은 아니었다며 민망한 표정을 지었지만, 나는 책을 저만치 사랑한 사람의 글을 읽어보고 싶은 호기심이 강하게 들었다. 시집이 담긴 종이봉투를 품에 앉자 갓 만든 빵처럼 따뜻한 온기가 느껴졌다.

카페를 나서자 마른 바람이 불었다. 초록의 빛은 저물고 바닥에는 마른 잎사귀들이 나뒹구는 가을의 어느 날, 나는 낙원 카페를 만났다.

2. 문을 열고 들어선 오평 남짓한 원룸은 내가 나갔을 때와 마찬가지로 춥고 어두웠다. 레토르트 미역국을 전자레인지에 돌렸다. 어둠

속 주황빛이 서리고 유리판은 같은 자리를 맴돌았다. 영원히 돌아가는 시계 톱니바퀴처럼 이 밝음이 끝이 없기를 바랐지만, 약속된 시간이 끝나자 환하던 조명은 사라지고 공기 속 적막만이 남았다.

밥을 먹기 위해 필요한 준비는 국그릇과 숟가락 하나가 전부인, 서른의 어느 평범한 저녁. 뜨겁게 끓는 내용물을 국그릇에 담다 문득 길을 잃어버린 기분이 들었다. 전보다 더 나아졌다는 확신도, 앞으로 더 나아질 거라는 기대도 없이 제자리걸음만 하고 있는지 몰랐다. 전자레인지 옆에 서서 밥을 먹었다. 식사는 십 분도 안 되어 끝났다.

잠들기 전까지 내게 남겨진 건 무한의 시간뿐. 침대에 누워 카페에서 구입한 시집을 꺼냈다. 개인이 쓴 걸 알아서인지 아주 가까운, 내가 알고 있을 것만 같은 친숙함이 느껴졌다.

그렇게 양치를 하거나 출근길 버스 안에서, 때로는 집 앞 벤치에서 시집을 읽었다. 책장을 넘기다 보면 종종 한숨이 새어 나왔는데, 그럴 때면 내가 숨을 너무 작게 쉬고 있다는 걸 알아차렸다. 마지막 한 장을 남겨 놓았을 무렵에는 몇 자 남지 않는 글자를 곱씹었다. 가을의 밤공기는 코가 시큰거릴 정도로 차가워 마치 물속에 빠진 듯했다.

책장을 덮고 잠시 멍해지다 불현듯 노트북을 켜 깊숙한 폴더 속, 감춰둔 나의 파일들이 제자리에 있는지 확인했다. 마지막 수정 일자가 2021년 11월에 멈춰진, 나의 애틋한 파일은 여전히 그 자리를 지키고 있었다.

3. 글을 썼었다. 사람으로 가득 메워진 지하철을 타고 출근하다 문득 사는 의미에 대한 고민에 빠졌다. 그리고 하루에 단 한 시간도 나

를 위해 살고 있지 않다는 사실을 깨달았다. 지금이라면 납득하겠지만, 그 당시에는 단지 입에 음식을 넣고 이불을 덮고 자기 위해 재미없는 일을 계속 해야 한다는 사실이 억울하게 느껴졌다. 자아실현. 거창한 표현이라 해도 오로지 나를 위한 무언가를 하고 싶었다. 내가 원하는 일, 그것이 나의 길이 되기를 바랐다. 그리고 나도 모르게 튀어나온 "글을 쓸 거야." 말이 모든 것을 선명하게 만들어 버렸다.

하고많은 것 중 왜 글쓰기였을까, 기억의 끝을 되짚는다면 아마 내가 인정받은 유일한 적성이었기 때문이었다. 정확히는 일기를 잘 쓴다거나 책을 오래 읽는다는 그런 것 따위였다. 나는 남들보다 재능이 없어 아주 작은 칭찬에 기댈 수밖에 없었다.

글을 쓰고 싶다는 것이 명확해지자 비로소 내가 원하던 것을 찾은 듯 온몸이 저릿하게 소름이 돋았다. 지금 당장 글을 쓰지 않으면 영영 때를 놓칠 것 같은 기분이 들 정도였다. 학원과 인터넷 강의를 들으며 매일 글을 썼다. 생각해 보면 어떻게 모든 걸 다 제치고 글만 쓰고 살았는지 알 수 없을 정도지만 그때 내게는 뱉어야 할 문장들이 너무나 많았다.

내가 쓴 소설은 나를 아주 많이 닮은 주인공이 난관을 헤쳐가며 사랑과 꿈을 얻는 줄거리였다. 글을 쓸 때면 행복했고, 소설의 결말을 끝맺으며 fin. 이라는 타이핑을 남겼을 땐, 내게도 어떤 힘이 생기는 기분이 들었다.

그러나 네 계절이 지나도 내 손에 남은 건 그저 수많은 글자로 채워진 전자파일이 전부였다. 지금 생각해 보면 고작 어린 시절 들은 칭찬만으로 보통 사람의 궤도에 벗어난 건 어리석은 결정이었을지도 모른다. 칭찬이 한 사람의 인생에 지대한 영향을 미친다는 사실을 어른들이 알았더라면 그들은 여전히 내게 같은 말을 할 수 있을까.

내가 얇은 물웅덩이에 헤엄을 치는 동안 같은 회사에 다녔던 동기는 직함을 높였고, 알음알음 까먹던 생활비가 동날 무렵 누군가는 결혼해 가정을 꾸렸다. 조금만 더 하면 기회가 오지 않을까, 미련한 기대가 있었지만 결국 인정해야만 했다. 나와 내 주인공은 아무도 보지 않을 파일 속에 갇혀버렸다는 것을. 그 뒤로 나는 더 이상 글을 쓰지 않기로 마음먹었다.

4. 잘못 탄 버스에서 내려 이름 모를 동네를 걷다 낙원 카페를 다시 마주했다. 아치형 창문 너머로 어스름한 불빛이 새어 나오는 것을 보자 성냥팔이가 마지막 성냥을 켜듯 다시 한번 커다란 책장과 수많은 책이 보고 싶었다.

커피 한 잔을 주문한 뒤 곧장 책장에 갔다. 내밀한 문장들로 이루어진 이야기들이 이렇게 많다는 사실에 감탄하며 한 권을 골랐다. 재미가 있기도 했고, 없기도 했다. 사장님은 커피를 가져다주며 지난번 시집에 관해 물었다. 내가 좋았던 구절을 말하자 사장님은 활짝 웃으며 시를 썼을 때 당시의 상황과 마음을 설명했다. 나는 가만히 고개를 끄덕였다.

"책에 관심이 많으신가 봐요. 제가 이야기하는 책들을 거의 다 알고 계시네요."

책을 좋아한다고 말하며, 한때는 글을 썼다는 사실을 고백했다. 평소라면 하지 않았을 말이지만 그날은 유독 커피 향이 좋아서 무엇이든 털어놓고 싶은 마음이 들었다. 사장님은 눈동자를 반짝이며 내가 쓴 글에 관해 물었고, 나는 잊고 있던 기억을 더듬어 건조한 입술 끝에 맴도는 말을 전했다.

"다 지난 이야기죠. 이젠 안 해요."

"계속해 보시죠. 글은 언제라도 쓸 수 있잖아요."

"글쎄요……. 더 이상 쓰고 싶은 말들이 없더라고요."

밀고 나갈 용기가 없었다는 사실까지는 말할 수 없어 입을 다물었다. 카페는 순식간에 고요해졌다. 내가 입술을 잘근거리며 불편한 기색을 보이자, 사장님은 "잠시만요"라고 말한 뒤 카운터 안쪽으로 사라지더니 이내 동그랗게 부푼 머핀을 가져다주었다. 방금 구운 것인지 하얀 김이 피어올랐는데, 꼭 그의 카페처럼 포근한 노란색이었다. 한 입 베어 물자 포슬거리는 빵가루 속에 은은한 바나나 향이 맴돌았다. 그 뜨거운 온도는 식도를 타고 배 속을 달궜다. 영원히 식지 않을 것 같았다. 아주 잠시 내가 꿈을 포기했다는 사실을 잊을 수 있을 정도의 달콤함이었다.

카페를 나서려던 때, 사장님은 나의 이름을 묻고는, 명함 뒷면에 펜으로 무언가를 적어 건넸다.

"서로씨, 혹시 관심 있다면 이번 주 토요일에 한 번 오시겠어요? 저희 책방은 글이 좋아서 모인 사람들끼리 모임을 만들어 진행하고 있거든요. 밥벌이를 위해 자주는 못 모이지만 자신을 위해 글을 쓰고, 그걸 공유하며 꿈을 잃지 않죠. 한번 놀러 오세요."

명함 뒷면에는 [토요일 저녁 여덟 시] 짧게 적혀 있었다.

5. 토요일 저녁 여덟 시. 사장님이 말한 시간에 맞춰 낙원 카페 앞에 도착했다. 문 앞에는 close라는 팻말이 걸려 있었지만 안에는 드문드문 스탠드 불빛이 비쳤다. 문을 열고 들어서자, 다섯 명의 눈동자가 일제히 나를 바라봤다. 사장님은 나를 짧게 소개했고, 뒤이어 구성원들도 자신을 소개했다. 굵직한 웨이브를 한 중년 여성과 이십 대 초반의 남녀, 그리고 사장님보다 나이가 많아 보이는 노신사였다. 그들은 각자 개성이 뚜렷했고, 쓰고 있는 글들의 취향도 달랐다.

누군가 내게 어떤 글을 쓰는지 물었다. 사장님은 오늘은 참관하러 왔다고 대신 설명해주며, 내게는 사람들이 글을 쓰는 동안 책을 읽거나 개인적인 업무를 봐도 된다고 말해주었다. 책장에 책을 꺼내 읽는 동안 사장님은 유리 포트에 담긴 커피를 사람들의 컵에 채워 주거나 가게에 흘러나오는 노래를 선곡했다. 구성원들은 자신들의 창작물에 열중했다. 펜으로 직접 쓰거나 노트북으로 글자를 썼다 지우기를 반복하며 누구 하나 진지하지 않은 이가 없었다.

아홉 시 삼십 분이 되자 사람들은 한 명씩 돌아가며 자신이 쓴 부분을 이야기했다. 비평하기 보다는 의견을 보태어주는 식으로, 모두 자신들의 생각을 전하는데 막힘이 없어 보였다.

모임을 마치고 하나둘 자리를 떠나자, 카페는 언제 그랬냐는 듯 다시 고요해졌다. 커피잔을 정리하는 사장님에게 오늘 모임이 어떻게 시작된 것인지 묻자, 세상에 재밌는 책들이 많이 생겨날 수 있도록 방법을 찾다 '글을 쓰는 공간'을 제공하게 되었다고 설명했다. 그 뒤로 카페에 오는 손님 중 책에 관심을 보이는 사람들에게 명함을 건네며 초대한다고 했다. 내가 그 어느 학원보다도 사람들의 에너지가 대단한 것 같다고 말하자 사장님은 웃으며 "간절하지 않은 사람이 없으니까요."라고 답했다.

"혹시 다음에도 참관하고 싶으면 와도 되나요?"

"그럼요. 부담스럽게 생각하지 말아요. 꼭 글을 쓰지 않아도 됩니다. 책을 읽어도 되고, 멍때려도 되지요. 다만 다른 사람들의 글을 들을 때는 경청해서 듣고, 진심을 담아 이야기해 주면 됩니다."

카페를 나오자 작은 키의 아이들은 목도리를 둘러매고 종종거리며 길을 건너고 있었다. 앙상한 가지에는 텅 빈 바람 소리가 날카롭게 지나갔다. 집에 가야 할 길이 멀게만 느껴졌다.

6. 낙원 카페를 다녀온 후 한동안 나는 무언가를 찾으려는 사람처럼 애를 썼다. 안 하던 요리를 해먹고, 집 청소를 하고, 고전의 음악을 듣거나 영화를 봤다. 동네의 작은 전시회관을 찾고, 사람들과 더 오래 이야기를 나누려 애를 썼다. 그러다가 커피추출기에서 검은 아지랑이가 꽃잎처럼 피어나 스며드는, 별것 아닌 아름다움을 통해 위로받기도 했다. 아마 글을 쓰지 않은 이후로 배출구가 가로막혀 터져버릴 듯한 기분 때문이었을 것이다. 하지만 문제라고 생각하지는 않았다. 어차피 이런 감정은 딸꾹질처럼 갑자기 나타나고 반드시 사라질 것이었다.

7. 나는 매주 토요일 낙원 카페로 향했고, 그사이 온전한 겨울이 되었다. 카페에는 쳇베이커의 음반이 틀어져 있었고, 실내에는 스토브

로 불을 때 더운 공기가 천장을 맴돌았다. 크리스마스가 다가와 창문에는 꼬마전구가 빨갛고, 초록의 빛을 반짝이며 나타나고 사라지기를 반복했다. 낙원 카페 사람들은 자신들의 글을 빛나게 할 문장들을 고심했고, 그들이 글을 쓰는 동안 나는 책장에서 책을 꺼내 읽었다. 그리고 이야기가 시작되면 내가 느낀 감정을 말하고, 그들이 살아온 시간을 들었다.

모임이 마무리를 지을 무렵, 중년 여성이 자신이 쓴 원고지를 들어 가슴 품에 안으며 행복을 터트리듯 말했다.

"너무 행복해요."

느닷없는 고백에 모두 미소를 지으며 그녀를 바라보았다. 그녀는 쓰던 돋보기를 벗고는 눈가에 맺힌 눈물을 닦았다. 소매 끝에는 노란 카레 자국이 묻어 있었다.

"평일에는 일하느라 바쁘고, 주말에는 애들 챙기느라 정신없는데, 이렇게 내 글을 온전히 쓰는 시간이 있다는 게 너무 행복하고, 감사해요."

모두 그녀의 말에 공감하듯 고개를 끄덕였다. 먹고 사는 것에 몰두한 삶에서 벗어나 고즈넉한 분위기에 잠겨 글을 쓸 때면 손가락 끝까지 차오르는 저릿한 행복을 나 또한 이해할 수 있었다. 중년 여성의 고백이 끝나자 저마다 이 모임을 통해 어떤 해방감을 얻는지, 어떤 꿈을 꾸는지 이야기했다. 대화의 분위기는 무르익고 누군가 내게 물었다.

"서로씨는 왜 글이 쓰고 싶었어요?"

아주 잠시, 시간이 멈추고 지난 기억이 떠올랐다. 좁은 책상에 올려진 노트북과 눈이 부시도록 밝았던 천장의 등. 탁상 거울에 비친 나의 모습이 눈 앞에 선명했다. 그때, 나는 무엇을 기대하며 글을 썼을까.

"저는 오래전에 만나던 사람이 저에게 멋있는 사람이 될 거라고 말한 적이 있었어요. 그래서 저도 "나도 그럴게."라고 답했죠. 사실 그 말에 할 수 있는 말이 별로 없잖아요. 하하. 그런데 별안간, 그 말을 하고 나니 정말 무언가를 이루고 싶다는 생각이 들더라고요. 오롯이 내가 잘할 수 있는 무언가를 찾고 싶었어요. 으스대거나 잘난체하기 위해서가 아니라 그냥 그 사람에게 어울리는 사람이 되고 싶었던 것 같아요."

내 앞에 마주 선 이들은 한 번도 만난 적 없는, 어쩌면 만날 일 없는 사람들이지만 우리는 공통의 관심사로 모였고, 무해하게 서로를 이해해 주었다. 때로는 여기에 있는 것만으로 충분하다는 생각이 들 정도였다.

8. "오늘은 여기까지 하시죠." 사장님이 마지막 인사를 건네자, 사람들은 하던 일을 마무리하고 카페를 빠져나왔다. 버스 정류장에 다다르자 노신사가 먼저 와 기다리고 있었다. 일이 있어 십 분 전에 일어선 그의 버스가 아직도 오지 않은 모양이었다. 나를 보자 민망한 웃음을 지으며 "제아무리 일찍 와도 버스는 따라주지 않네요."라고 혼잣말을 했다. 우리는 어색한 분위기를 공유하며 한 발짝 떨어진 채 나란히 서 있었다. 시선을 둘 곳은 오직 정면뿐이라 건널목만 뚫어지게 쳐다봤다. 밤은 까맣다 못해 어슴푸레한 색을 비췄고, 가로등 아래 이슬 같은 비가 떨어지고 있었다.

"서로씨도 글을 썼다고 했죠? 지금은 안 쓰시나요?"

그의 물음에 그렇다고 대답했다. 이제는 글을 쓴 사실을 전보다 쉽게 말할 수 있었다. 그는 조심스럽게 말을 건넸다.

"나는 매번 신춘문예에 낙선합니다. 말하기 부끄럽지만, 그래도 포기하지 않고 매년 도전하죠."

그는 낙원 카페에 올 때면 늘 갈색 서류 가방에 빨간 원고지를 가득 챙겨왔는데 하루에 세 장을 쓸 때도 있고, 절반가량을 쓸 때도 있었다. 때로는 한 글자도 적지 못하고 이마를 짚다 시간을 다 보낸 적도 있었는데, 빠른 결과를 얻기를 바랐던 나로써는 그의 인내심이 부러웠다.

"저는 조급했던 것 같아요. 차라리 너무 애를 쓰지 않았다면 좋았을 걸 싶어요."

"저도 이렇다 할 성과물은 없어 이런 말 하는 게 우습게 들릴지도 모르지만, 그래도 제 편견일지도 모르는데, 예술을 선택하는 건 어떤 이유에서건 그래야 하고, 만나야 하고, 결국 해야 하는 거라고 생각해요. 그러니 서로씨도 너무 빨리 놓지는 말아요."

그가 기다린 버스가 왔는지 주머니에서 지갑을 꺼냈다. 나는 괜히 신발코를 바닥에 문댔다. 시야가 얼룩져 고개를 들 수 없었다.

"제가 만약 등단하게 되면, 꼭 서로씨에게 보여주고 싶네요. 그렇다면 서로씨 마음도 한결 편해지겠죠."

그가 탄 버스가 떠나고, 나는 한동안 그 자리에 남아있었다. 바람이 불자 피부에 차가운 것이 닿다 녹아버렸다. 자세히 보니 눈이 내리고 있었다. 비인지 눈인지 맞으면 모를 것이지만 눈이라고 생각하니 한

결 고즈넉한 분위기로 느껴졌다.

9. 겨울이 지나고 눈은 이미 녹고 사라진 지 오래인데, 겨울의 끝자락이 그리운 듯 이팝나무는 새하얀 꽃을 길목마다 흐트러뜨리며 하얀 눈길을 만들어냈다.

봄이 오자 옅던 우울감이 밤의 그림자처럼 길게 늘어났다. 공간이 바뀌면 마음도 변할까 싶어 서울에서 벗어나 창이 넓은 집으로 이사를 했다. 창문을 열자 화창한 날씨 속 모두 저마다의 삶을 충실히 살아가는 사람들이 보였다. 바삐 걸음을 옮기는 학생들, 벤치에 앉아 쉬고 있는 할머니 할아버지들, 아이들의 작은 책가방을 등에 메고 함께 하교하는 엄마들. 한때는 나도 겪었고, 앞으로 겪게 될 거라 막연한 기대를 품었지만 어쩌면 닿지 못할 수도 있겠다고 생각했다.

바뀐 연도를 쓰는 게 익숙해질 무렵, 동네의 작은 서점 앞에 섰다. 며칠 전, 유리문에 붙여진 파트타임 공고문을 본 뒤로 내내 머릿속을 떠나지 않았다. 마치 놓쳐버린 풍선이 나무 한 가운데 걸려 나를 기다렸던 것처럼. 책을 가까이한다면 언젠가 나의 글도 다시 쓸 수 있을 것만 같았다.

왼손에는 이력서를 쥐고, 오른손으로 단단한 원목 손잡이를 잡았다. 바람은 서늘했지만, 긴장감에 등 뒤로 땀 한 방이 흘러내렸다. 조심스럽게 발을 내딛어도 매번 길을 잃는다면, 천천히 나의 길을 걸어보겠다고 결심하며, 손에 힘을 주고 문을 열었다.

10. 문을 열고 들어서니 내부는 은은한 커피 향과 종이책의 질감이 더해져 묵직한 분위기를 풍겼다. 짧은 대화를 나눈 뒤 앞으로 입게 될

초록색 유니폼을 받고 나왔다. 삼십 분도 채 되지 않은 시간 동안 계절이 바뀐 듯 내 앞의 풍경들이 이질적으로 보였다. 숨을 깊게 내쉬고 들이마셨다. 마음이 가벼워졌다. 어쩌면 계속 찾고 있었던 건지도 몰랐다.

제주, 애월

어효은

어효은 제주, 애월 바다를 보면서 이유 모를 서글픔과 애틋함을 느끼며 그리운 얼굴들을 떠올렸어요. 헤아릴 길 없는 마음들을 노을이 아름다웠던 애월 바다에 흘려보냅니다.

인스타그램: @hyoeun_murang

8월, 뜨거운 햇볕이 내리쬐는 오후 유은은 제주에 도착했다. 올해로 서른인 유은은 직장을 그만두고 제주 애월에 한 달 살기를 하러 왔다. 후덥지근한 공기에 숨이 턱턱 막혀왔다. 이마에 땀이 송골송골 맺혔다. 머리를 묶고 챙이 긴 갈색 모자를 쓴 모습이다. 버스 정류장에 내려 캐리어를 끌고 꽤 먼 거리를 걸어왔다. 2층 숙소까지 짐을 옮긴 유은은 물부터 벌컥벌컥 들이켰다. 너른 창밖으로 제주 애월의 바다가 보였다. 에어컨을 켜고 시원해진 공간에서 한숨 돌리고 싶었지만, 창밖을 보니 바다 수평선 너머로 해가 막 넘어가려 하고 있었다. 유은은 짐을 제대로 풀지도 않고 휴대폰을 챙겨 밖으로 나왔다. 제주 특유의 검정 돌담과 잎이 넓은 나무들이 눈에 띄었다. 제주에 온 것이 실감이 났다.

바다는 걸어서 5분도 안 되는 곳에 있었다. 후덥지근한 공기와 바다 향이 물씬 풍겨왔다. 유은이 어린 시절부터 보아온 강원도 고성 바다와는 사뭇 다른 분위기였다. 짙은 주황빛으로 물든 하늘은 층층이 그 색이 미묘하게 달랐다. 붉은빛과 보랏빛 사이로 밝은 노란 빛이 수

채화 물감을 칠한 듯 은은하게 번져 나왔다. 그 사이사이로 구름이 보였다. 바다로 해가 지는 모습을 바라보며 그리운 얼굴이 문득 떠올랐다. 유은의 마음은 애틋하게 물들었다.

아름다운 풍경을 한동안 바라보던 유은은 깜짝 놀랐다. 바다가 들쑥날쑥 움직이는 듯한 느낌을 받았기 때문이었다. 무언가 삐죽 튀어나왔다가 바다 물결 속으로 사라졌다. 잘못 본 건가 싶어 해가 지는 쪽을 유심히 바라보았다. 순간 큰 지느러미가 바다 위로 불쑥 솟구쳐 올라왔다.

'와, 돌고래다.'

유은은 속으로 탄성을 내질렀다. 돌고래를 본 적은 처음이었다. 사진과 영상으로 수십 번 보면서 언젠가는 꼭 직접 보고 싶다고 생각했지만 이렇게 제주에 온 첫날 마주하게 될 줄 생각조차 하지 못했다. 돌고래에게서 눈을 떼지 못했다. 돌고래는 수면 위로 올라왔다 내려갔다 하며 매끄럽게 헤엄쳤다. 자세히 보니 한 마리가 아니었다. 둘, 셋, 넷, 다섯 마리 이상 돼보였다. 드넓은 바다를 가로지르며 내달리는 돌고래의 모습에 생명력이 넘쳐흘렀다. 자유로워 보였다. 순간 시간이 멈춘 듯했다. 뒤늦게 유은은 가지고 있던 핸드폰을 들고 동영상 촬영 버튼을 눌렀다. 나중에 확인해 보니 돌고래를 보며 찍느라 영상은 마구 흔들린 상태였지만 꿈을 꾸는 듯한 장면을 잠깐이라도 담을 수 있어 다행이라 생각했다. 해가 바다 뒤로 완전히 자취를 감추자, 주위는 어스름이 깔리기 시작했다. 돌고래들도 빠르게 멀어져갔다. 유은은 돌고래가 완전히 사라져 보이지 않을 때까지 한참을 서서 짙어져 가는 바다를 바라보았다.

황홀했던 찰나가 지나갔다. 유은은 목에 날카로운 통증을 느꼈다. 성대결절과 후두염이 같이 발병한 상태였다. 침을 삼킬 때마다 누군가 목을 송곳으로 찌르는 듯했다. 목 상태가 이 사달이 날 때까지 유은은 스스로를 돌보지 못했다. 자신보다 우선시하는 것들이 너무 많았다. 직장을 그만둔 후 처음으로 여행 앱을 깔아 바로 제주 숙소를 예약했다. 어디론가 떠나고 싶었다. 최대한 멀리. 여름철이라 숙소 가격이 꽤 나간다 싶었지만 그럼에도 바다가 가까운 곳으로 예약했다. 동해인지 서해인지 확인조차 하지 않았다. 숙소가 애월리에 있고 애월리 바다가 서해인 것을 출발할 때가 되어서야 알았다.

어두운 바다를 가만히 바라보며 유은은 돌아가신 할머니를 떠올렸다. 그녀의 이름은 영해다. 영해는 손녀인 유은을 어릴 때부터 돌봐주었다. 영해는 활동적이고 자유롭게 생활하는 것을 좋아했다. 비가 와도 밭일을 거르지 않았고 나물을 캐러 가고 싶으면 신속히 준비를 마치고 곧장 산으로 향했다. 마당과 집 안을 오가며 풀 뽑기, 콩 다듬기 등 소일거리를 부지런히 했다. 영해는 유은에게 옥수수 따는 법을 알려주었고 집에 돌아오면 맛있게 쪄주었다. 영해 표 옥수수는 말랑말랑하고 특유의 달달한 맛이 있었다. 비빔국수, 라면, 국수, 감자전, 무엇보다 날씨가 쌀쌀해질 때쯤 남은 밥으로 해주던 감주 맛은 잊을 수 없을 정도로 최고였다. 밥알이 넉넉히 들어간 시골 식혜는 시원하고 달콤했다. 유은에게 늘 그리운 맛으로 남아있다. 유은이 대학에 가고 나서는 집에 자주 오지 못했다. 방학이 되어 몇 달 만에 만나는 날에는 어느 때보다도 환하게 웃으며 유은을 맞아주었다. 영해의 환한 미소는 늘 한결같았다. 다시 대학교로 가는 날이면 유은의 모습이 보이지 않을 때까지 바라보며 손을 흔들어주었다. 유은이 대학을 졸업하고 도시로 갔을 때도 마찬가지였다.

영해는 아흔이 넘어도 작은 텃밭을 꾸준히 일굴 정도로 정정했다. 치매가 온 뒤 요양원에 가게 되기 전까지는. 그 후 눈에 띄게 건강이 무너져갔다. 매일 아침 참빗으로 물을 묻혀가며 정갈하게 머리를 다듬고 비녀를 꽂는 영해의 모습은 지금도 유은에게 선명하게 남아있다. 몇 주가 지나, 요양원에서는 영해의 머리카락을 짧게 잘랐다. 몇 달이 지나, 영해는 휠체어 없이는 걷지 못했다. 몇 년 뒤 영해는 유일하게 손녀 유은만을 알아보았다. 유은이 요양원으로 영해를 보러 간 날에는 온몸에 힘이 빠져 고개를 들 기운이 없는데도 희미한 미소를 지었다. 그리곤 집에 데려다 달라고 애원했다. 유은은 영해가 바라는 대로 할 수 없는 처지인 것이 답답하고 죄송했다. 무슨 일을 하든 죄책감으로 마음 한편이 늘 무거웠다.

몇 달 뒤, 유은은 6년여간 지낸 도시에서의 생활을 모두 접고 병원에 입원한 영해를 돌봤다. 영해를 간호하는 일은 생각했던 것보다 힘들었다. 날이 갈수록 더 그랬다. 새벽마다 깨는 영해를 보느라 잠을 못 자는 건 다반사였다. 기저귀를 갈아주고, 콧줄을 통해 단백질 음료를 넣어주고, 몸에 피가 나도록 심하게 긁지 못하게 해야 했다. 잠을 못 자는 것도 고단했지만, 유은이 무엇보다 힘들었던 것은 영해가 나

날이 괴로워하는 모습을 지켜보는 일이었다. 영해의 죽음은 유은에게 일어나서는 안 되는 일처럼 여겨졌다. 시간이 흐를수록 그저 하루하루 생명을 연장하고 있을 뿐인 영해를 보며 어느 날 새벽 유은은 기도했다. '할머니가 편안해지게 해주세요. 이제 놓아드릴게요. 제발, 아프지 않고 평안할 수 있도록 도와주세요. 도와주세요.' 죄책감을 느끼면서도 유은의 기도는 간절했다. 선잠에서 깨고 난 유은은 몸이 비쩍 말라 가죽만 남은 듯한 영해를 바라보며 눈물을 흘렸다.

영해는 다음날 유난히 기운이 회복된 듯했다. 유은을 다시 알아보기 시작했고 옛날이야기를 많이 쏟아냈다. 시골에서 송아지를 키우던 이야기, 할아버지와 함께 일구던 옥수수밭 이야기, 옛날에 살던 시골집 이야기. 자주 웃었다. 유은은 영해가 회복하고 있다고 생각했다. 도시에 남아있는 짐을 마저 부치기 위해 버스를 탔다. 이대로라면 몇 년은 더 같이 있을 수 있겠다고 생각했다. 유은은 그날 밤 짐 정리를 모두 마쳤다. 텅 빈 방을 바라보고 있는데 전화벨 소리가 울렸다. 영해가 영영 눈을 감았다고 했다. 하필 유은이 영해의 곁을 비운 날에 영해가 먼 길을 떠났다. 빈방에 덩그러니 앉았다. 실감이 나지 않았다. 눈물조차 나오지 않았다. 뜬눈으로 밤을 새우고 첫차를 타고 내려와 곧장 영해의 장례식장으로 향했다.

완연히 어두워진 애월 바다를 보며 유은은 갑자기 눈물이 솟구쳤다. 영해의 장례식 내내 울지 않았던 유은이었다. 마음 깊은 곳에서 들 끓는 그리움과 슬픔이 걷잡을 수 없이 터져 나왔다. 늘 따듯하게 유은을 보며 웃어주던 영해는 이제 먼 길을 떠났다. 보고 싶어도 다시는 만날 수가 없다. 다만 그리워할 뿐이다.

애월에 온 지 3주가 지났다. 유은이 애월에서 머무는 공간은 2층으로 이루어진 펜션이다. 유은의 숙소는 2층이다. 내부 벽지 한 면은 짙은 나무색, 절반은 흰 벽으로 이루어져 있었다. 반신욕을 즐기는 유은은 화장실 욕조를 발견하고 마음에 쏙 들었다. 폭신해 보이는 침대 옆으로 돌고래 인형을 놓고 가져온 책과 노트와 펜, 노트북을 꺼내놓았다. 둥근 나무 테이블 양옆으로 의자 두 개가 놓여있다. 제주에 오면 그동안 쓰고 싶었던 글 작업을 마음껏 해보자고 다짐했는데 이 공간이 글을 쓰기에 제격이라는 생각이 들었다. 뜨거운 태양이 작열하는 낮엔 주로 숙소에 머물며 읽고 싶었던 책을 읽고 영화를 보았다. 해질 녘쯤엔 애월 바다를 바라보며 산책했다. 산책 후 저녁부터 자기 전까지 글을 썼다. 그날 있었던 일들을 적고 떠오르는 기억, 느낌을 담았다.

유은은 애월에 머무는 동안 숙소 근처에 있는 편의점 주인인 윤숙과 그녀의 딸 소애와 웃으며 인사 나누는 사이가 되었다. 숙소는 조리 공간이 따로 없었다. 근처 식당에 가거나 분식점에서 포장을 해와 끼니를 해결했다. 아침에 먹을 시리얼과 우유, 물, 좋아하는 과자, 아이스크림 등을 산책 후 편의점에서 자주 사 가곤 했다.

제주에 온 첫날 유은이 편의점에 들렀을 때 윤숙은 물품 정리를 하고 있었다. 윤숙은 올림머리를 하고 흰 반소매에 편의점 조끼를 입고 있었다. 계산대 쪽 의자에는 소애가 앉아 있었다. 여자아이였다. 소애는 곰돌이가 그려져 있는 하늘색 반소매에 면 치마를 입고 머리는 양갈래로 묶은 모습이었다. 소애를 바라보며 미소 지었다. 일자 앞머리가 너무 사랑스러웠다.

"어서 오세요."

소애가 능숙하게 손님을 맞이했다.

유은은 고개를 숙이며 인사에 응했다. 제주에서의 일주일은 목 통증이 심해 말 한마디도 제대로 할 수 없는 상태였다. 물과 간식거리를 사서 계산대 앞에 다시 섰다.

"잠시만 기다려주세요. 지금 엄마가 새로 들어온 물건들을 정리 중이라서요."

또박또박 이야기하는 소애가 귀여워 유은은 다시 미소 지었다. 유은은 크게 고개를 끄덕였다. 윤숙이 창고 문을 열고 나와 유은을 발견하고 한달음에 계산대로 달려왔다.

"어머, 기다리셨죠. 죄송해요. 창고에 좀 다녀오느라고. 소애야, 손님 오시면 '엄마'하고 큰 소리로 부르라고 했잖아."

"엄마 왔다 갔다 하면 다리 아프잖아요. 나도 계산할 수 있다니까."

소애는 뾰로통한 표정을 지었다.

"아휴, 죄송해요. 계산 도와드릴게요."

유은은 미소 지으며 말없이 물품을 올려놓았다.

"전 다섯 살이에요."

'천사 같아요. 너무 예뻐요. 말도 어쩜 이렇게 또박또박 잘해요?'

유은은 하고 싶은 말을 삼키고 미소 띤 얼굴로 소애를 바라보았다.

"여행 오셨어요?" 윤숙이 물었다.

유은은 고개를 끄덕였다.

"근처에 카페도 몇 개 있고 식당도 있어요. 산책로도 있고요."

유은은 급한 대로 휴대전화 앱을 켰다. 문자를 입력하면 목소리가 나오는 앱이다. 유은은 빠르게 문자를 입력해 확인 버튼을 눌렀다. 휴대전화에서 딱딱한 AI 음성이 흘러나왔다.

"제가 지금은 목 상태가 많이 안 좋아요."

똘망똘망한 소애의 두 눈이 동그랗게 커졌다.

"기계 목소리다. 목이 아파서 기계 목소리로 말하는 거예요?"

소애가 호기심을 가득 담아 물었다.

유은은 빠르게 문자를 적었다.

"네, 지금은 목이 많이 아파요."

휴대전화에서 다시 기계음이 흘러나왔다.

"우와."

"아휴, 얼른 회복하세요."

윤숙이 걱정스러운 표정을 지으며 말했다.

유은은 고개를 끄덕이며 인사를 하고 소애를 향해 손을 흔들었다. 소애도 손을 흔들어주었다.

"기계 목소리 언니, 또 만나요."

"소애야." 윤숙이 소애를 나무라는 목소리를 뒤로 한 채 유은은 편의점을 나왔다.

그날 이후 편의점에 들릴 때마다 말없이 인사를 나누었고 소애는 유은을 곧잘 언니라고 불렀다.

해 질 녘, 산책 시간마다 비슷한 시간대에 마주치던 가희와 그녀가 키우는 반려견 마리와도 가까워졌다. 마리는 레트리버 종으로 유은의 허리를 넘는 덩치에 갈색 털을 부드럽게 흩날리고 있었다. 녀석은 첫 만남에 유은을 보자마자 마치 옛 친구라도 만난 것처럼 한달음에 달려와 신나게 꼬리를 흔들어댔다. 가희는 단발 머리카락이 잘 어울리는 중년의 여성이다. 편안해 보이는 초록빛 긴치마에 단추가 달린 흰 반 팔을 입고 있었다. 제주에 온 지 5년 차다. 스치듯 짧은 만남이었지만 유은은 가희의 눈빛이 쉽게 잊히지 않았다. 따뜻한 미소 사이로 짙은 슬픔이 담긴 듯했다. 서로를 바라보는 잠깐 사이에 여름 바람이 부드럽게 가희와 유은을 감싸안았다.

유은의 목 상태는 점점 회복되어 갔다. 아침, 저녁으로 꿀물을 먹고 산책 시간 이외에는 숙소에 머물렀다. 이 주 정도 지난 후에는 목에 이물감이 느껴지긴 했지만, 누군가와 소통하기 어려움이 없을 정도였다. 그사이 늘 산책로에서 만나던 가희와 인사 나누는 사이가 됐다. 유은은 편의점에서 나오는 길에 산책 중인 가희와 마리를 보았다.

"가희 님!"

유은이 가희를 불렀다. 가희는 몸을 천천히 돌려 미소를 띤 채 유은을 바라보았다.

"안녕하세요. 오늘 일찍 나오셨네요?"

유은은 한달음에 달려갔다.

"안녕하세요. 유은 씨, 오늘 저녁은 일이 있어서요. 좀 일찍 나왔어요. 편의점 다녀오는 길이에요?"

가희의 머리카락이 바람결에 부드럽게 흩날렸다.

"네. 물이랑 간식거리 좀 샀어요."

유은이 웃으며 말했다.

"소애는 잘 있어요?"

가희가 웃으며 물었다.

"네, 소애는 어제도 귀엽고 오늘도 너무 귀엽고 내일도 귀여울 예정이에요."

가희는 유은의 대답에 미소 지었다.

"오늘따라 더 기분이 좋아 보이네요?"

"네, 목도 많이 회복됐고 가희 님이랑 마리보니까 기분이 좋아서요. 애월 바다도 예쁘고요."

유은의 대답에 가희가 웃었다. 해가 막 바다 쪽으로 넘어가고 있었다. 유은은 해가 지는 애월의 바다 풍경에 푹 빠졌다. 한 번도 같았던 순간이 없었다. 주황빛, 붉은빛, 노란빛, 보랏빛이 어우러진 석양을 가만히 바라보고 있으면 마음이 고요해졌다. 불쑥불쑥 애틋함, 그리움의 감정이 올라오기도 했다. 올라오는 감정을 있는 그대로, 충분히 마주할 수 있어서 좋았다.

"마리. 오늘도 잘 있었어?"

유은은 마리의 갈색 털을 여기저기 만져주었다. 마리는 유은의 물음에 대답하듯 곁으로 다가와 꼬리를 흔들어댔다.

"저, 유은 씨."

가희가 유은을 부드럽게 불렀다.

"네."

유은은 마리를 쓰다듬다가 가희를 보며 대답했다.

"내가 작은 카페를 운영하는데, 한번 들를래요?"

가희는 수줍은 듯 웃어 보였다.

"정말요? 왜 이제 이야기하셨어요? 진작 말씀해 주셨으면 매일 들렀을 텐데." 유은은 아쉬워하며 섭섭한 표정을 짓다가 이내 밝게 웃으며 말했다.

"목은 좀 괜찮아요?"

"덕분에요. 많이 좋아졌어요."

"나도 전부터 유은 씨 초대해서 같이 이야기 나누고 싶었는데, 몸 회복할 때까지 기다렸어요. 내일 산책 마치고 어때요? 7시쯤, 같이 저녁 먹어도 좋고요."

"전 좋아요. 내일 봬요. 저녁 시간 잘 보내시고요."

"그래요. 유은 씨도요."

"마리 안녕!"

가희는 산책로 반대편에 있는 유은의 숙소로 유은이 들뜬 듯 걸어가는 뒷모습을 바라보았다. 가희는 편의점으로 천천히 걸어갔다.

"가희 언니 왔어?"

편의점 문을 열고 들어온 가희를 보고 윤숙이 반갑게 맞아주었다.

"안녕하세요. 가희 이모."

소애도 양손을 흔들며 인사했다.

"안녕. 우리 이쁜 소애, 오늘 더 이뻐졌네?"

가희는 소애에게서 눈을 떼지 않은 채 얼굴 한가득 미소를 머금은 채 말했다. 가희는 천천히 편의점을 둘러보며 과자와 아이스크림을 골라 담았다. 가희를 바라보는 윤숙의 표정에 슬픔이 스쳤다. 가희가 계산대로 다가오자 윤숙은 금세 표정을 거둬들였다.

"여기."

윤숙은 종이봉투를 가희에게 건네주었다.

"매년 미안하고 고마워서 어떡해. 마리랑 시내 나가려면 정말 한참을 가야 해서. 운전도 못 하고 내가."

"언니, 내가 할 수 있는 일이니까, 어려운 일도 아니고."

"응, 그래. 고마워. 고마워, 윤숙아."

"가희 이모 최고! 엄마가 내 것도 사 왔어요."

소애는 신이 난 듯 웃으며 조잘거렸다.

"소애야, 이모 한 번 안아줄래?"

가희가 웃으며 물었다.

"요즘 더워서 엄마도 잘 안 안긴 하지만 가희 이모는 특별히 안아드릴게요."

가희가 소애의 눈높이에 맞춰 팔을 벌렸다. 소애는 양팔을 벌려 가희를 꼭 안아주었다.

"윤숙아, 고마워. 이따 마감 잘하고 조심히 들어가고."

"언니, 조심히 들어가요."

"가희 이모 안녕히 가세요. 마리도 안녕."

가희가 머무는 공간 복층 구조로 1층은 카페, 2층은 숙소로 되어있다. 작은 마당에는 고양이들이 종종 밥을 먹고 쉬어갈 수 있도록 지붕 있는 고양이 집 두 개와 사료와 물이 담긴 그릇이 두 개씩 놓여있다. 가희는 마리를 풀어주고 2층 숙소로 올라갔다. 작은 상을 꺼내어 아담한 거실 공간에 놓고 딸기, 떡, 아이스크림, 초코 우유 등을 정성껏 올려놓았다. 윤숙이 건네준 종이봉투에서 케이크와 초를 꺼냈다. 케이크에 초 5개를 꽂고 불을 붙였다. 작은 액자를 상에 올려놓고 향을 피웠다. 사진 속에는 소애와 비슷해 보이는 또래 여자아이가 밝게 웃고 있었다. 가희는 가만히 사진을 바라보았다. 사진 속 아이의 두 눈이 가희와 똑 닮아있었다. 오래지 않아 가희의 양 볼을 타고 눈물이 흘러내렸다. 소리 없이 흘러내리는 눈물은 이내 흐느낌으로 바뀌었다. 가희의 울음소리를 듣고 마리는 주위를 황급히 돌다가 휴지를 입으로 물어 가희 앞으로 다가갔다. 가희는 마리를 꼭 끌어안았다.

유은은 꿈을 꾸었다. 유은의 할머니, 영해가 고운 한복을 입고 남편, 철훈의 손을 꼭 잡고 있었다. 편안해 보였다. 말없이 유은을 가만히 바라보기만 했다. 유은과 영해와 철훈은 버스 정류장 앞에 서 있었다.

"할머니, 할아버지. 너무 보고 싶었어요. 잘 지내고 계시죠? 한복이 너무 예뻐요. 저도 잘 지내요. 건강도 많이 회복했어요."

영해와 철훈은 무언가 말을 하려는 듯하다가 버스가 도착하자 천천히 버스에 올라탔다. 유은도 같이 타고 싶었지만, 버스 문이 바로 닫혔다.

"어디 가세요? 저는 같이 안 가요? 안 데려가실 거예요? 저도 가면 안 돼요?"

버스를 탈 수 없다는 것을 직감적으로 알아차렸지만, 지금이 마지막 만남 같은 느낌에 눈물이 솟구쳤다. 영해와 철훈은 나란히 자리에 앉아 창밖으로 미소 지은 채 유은을 바라보았다.

"난 언제 가게 될까요? 사랑하는 사람들이랑 헤어지는 거 난 자신이 없어요."

그때 목소리가 들려왔다. 목소리는 유은의 마음속에서 잔잔히 울려 퍼지고 있었다.

'언제나 함께한단다.'

말로 설명할 수는 없지만, 유은은 이 말이 정말이라는 걸 확신할 수 있었다. 언제나 함께하고 있었다. 처음부터, 사람들이 끝이라고 생각하는 그 순간에도. 그리고 그 이후에도 말이다. 유은은 눈을 떴다. 눈물이 흐르고 있었다. 생생한 장면들이 아른거렸다. 지나간 그리움의 대상들이 한 장의 이미지로 떠올랐다 사라졌다 했다.

"계세요?"

저녁 7시에 맞춰 유은은 가희의 공간에 도착했다. 밖은 구름이 점점 몰리더니 빗줄기가 점점 굵어지기 시작했다.

"왔어요? 어머, 비가 오네요. 어서 들어와요."

가희는 유은을 반갑게 맞았다.

"거의 도착해서 내리기 시작했어요."

유은은 가희의 카페에 들어섰다. 지글지글 프라이팬에 뭔가 구워지는 소리와 고소한 냄새가 풍겨왔다. 창가 옆쪽 나무 선반 안에 여러 권의 책이 진열되어 있었다. 주광 빛 따뜻한 조명이 은은하게 공간을 비추고 있었다. 곳곳에 다양한 잎 모양을 지닌 식물들이 공간을 더 생기 있고 편안하게 보이도록 만들었다. 잔잔한 피아노곡이 흘러나왔다. 유은은 공간이 가희의 따뜻한 느낌과 닮아있다고 느꼈다. 아기자기한 인테리어 소품과 인형, 찻잔 하나하나에 담긴 정성을 느낄 수 있었다. 첫눈에 유은은 이 공간을 좋아하게 되었다.

"공간이 너무 예뻐요. 아쉬워요, 정말. 곧 돌아갈 날인데."

"또 와요. 언제든지 환영이에요. 잠깐만 앉아 있을래요?"

"제가 뭐 도와드릴 건 없어요?"

"다 됐어요. 거기 창가 옆에 앉아요."

유은은 창 쪽으로 걸어가 앉으려다가 책장 쪽으로 눈길을 돌렸다. 동화책들이 많이 꽂혀있었다. 유은은 눈을 크게 떴다. 저자 이름이 윤가희라고 적힌 동화책이 보였다. 바로 꺼내어 펼쳐보았다. 아기자기한 그림체였다. 어린 여자아이가 등장했다. 지금의 마리보다 작지만, 마리와 꼭 닮은 강아지도 보였다. 바다, 산, 들판 등 어느 풍경 속에도 여자아이가 있었다. 가희는 쟁반에 감자전이 담긴 접시 막걸리 한 통, 컵 두 잔을 올려 유은이 있는 자리로 왔다.

"가희 님, 동화책 작가셨어요?"

유은이 동경의 눈빛을 보내며 물었다.

"아, 몇 년 전에요. 지금은 아니에요. 아무것도." 가희는 유은이 들고 있던 동화책을 살며시 가져가 제자리에 꽂아놓았다.

"죄송해요. 허락도 없이."

가희의 굳어진 표정을 본 유은이 말했다.

"아니에요. 어서 앉아요. 오랜만에 한잔하고 싶어서요."

가희가 막걸리를 흔들어 보였다.

"좋아요. 감자전, 계란말이, 막걸리까지. 저 거짓말 안 하고 세 개 다 좋아해요. 마침 비도 오고요."

유은이 웃으며 말했다. 유은은 막걸리를 능숙하게 섞어 통 윗부분을 몇 번 꾹꾹 누른 후 뚜껑을 열어 가희의 잔에 따랐다. 가희도 유은의 잔에 적당히 따라주었다. 가희와 유은은 잔을 맞부딪혔다.

"얼마 만인지 모르겠어요. 이렇게 여유로운 시간을 보내는 거요. 잘 온 것 같아요."

"그래요. 잘 왔어요. 몸도 많이 회복한 것 같고요. 유은 씨, 여기 왜 오게 됐는지 물어봐도 돼요?"

가희가 유은을 바라보며 물었다.

"그냥 아무도 저를 모르는 곳으로 멀리 가고 싶더라고요. 섬에 가고 싶었어요. 제가 고등학생 때 제주도로 수학여행을 갔었는데요. 감기

걸린 상태로 비행기 타고 중이염에 걸렸어요. 도착하자마자 병원 가는 길에 본 제주의 푸른 바다, 들판, 돌담들을 스치듯 봤어요. 그 기억이 다인데 위로가 되더라고요. 꼭 다시 와보고 싶었어요. 10년이 넘어서 와보네요."

"그랬구나. 나는 유은 씨 처음 봤을 때부터 왠지 웃음이 자꾸 나더라고요. 이 나이 때 나를 보는 것 같단 말이야. 겉보기엔 여려 보이는 것 같은데 보면 볼수록 내면이 단단한 사람 같아요."

"감사해요. 가희 님은 애월에 어떻게 오게 되신 거예요?"

"온 지는 5년 됐어요. 정신없이 시간만 간 것 같네요."

잠깐의 적막이 감돌았다.

"저 여기 와서 보고 싶었던 드라마를 봤거든요. 제주 배경이기도 한 '우리들의 블루스'요. 제가 노희경 작가님을 좋아하거든요. 봐야지 하고 있다가 이번에 몰아서 봤는데, 보는 내내 얼마나 울었는지 몰라요. 얼마 전 에피소드에서 아이 소원을 이뤄주기 위해 바다에 오징어 배를 띄우는 장면이 있었거든요. 아이 아빠가 아이에게 백 개의 달을 보며 소원을 빌면 이루어진다고 말한 적이 있어요. 아이가 꼭 백 개의 달을 보며 소원을 빌어야 한다는 거예요. 혼수상태로 입원 중인 아빠가 일어나게 해달라고요. 궂은 날인데도 아빠 친구, 지인들이 오징어 배를 띄워줘요. 멀리서 보면 마치 바다 위에 수많은 달이 뜬 것처럼 보여요. 아이의 친할머니는 그동안 아들 셋이 먼저 세상을 떠났고 유일하게 남은 아들이었거든요. 처음 소식을 듣고 망연자실하지만, 아이 옆에서 정말 간절하게 빌어요. 아들을 살려달라고요. 간절히 소원을 비는 그 장면에서 저도 온 마음을 다해 기도하게 되더라고요. 드라마라는 걸 아는데도 정말 간절했어요. 내 소원 하나를 가져가고 아이 아빠를, 할머니에게 하나 남은 아들을 살려달라고 빌게 되더라고요. 작가님께 편지라도 쓰고 싶은 심정이었어요. 정말 기적이 일어났으면 하는 마음이 들었어요. 가희 님은 기적이 일어났으면 했던 순간이 있어요?"

유은은 가희의 비워진 잔을 채우며 물었다. 가희는 잠깐 뜸을 들였다.

"있었어요. 기적이 일어났으면 했던 순간."

가희의 눈빛이 옛 기억에 사로잡힌 듯했다. 가희는 과거의 기억 속으로 빨려 들어갔다. 순식간에 공간이 땅으로 꺼지는 듯한 느낌을 받았다. 귀에 물이 찬 듯 먹먹했다. 눈앞이 캄캄해졌다. 다리가 떨렸다. 온몸은 비에 젖은 채였다. 병원의 소음, 간호사와 의사가 오가는 걸음들, 심폐소생술을 하는 모습, 피를 흘리고 있는 남편 경수와 딸 은비의 얼굴, 가까이 다가가는 것을 말리던 주변 사람들, 이제는 파편처럼 조각조각 나뉘어져 비현실적으로 느껴지는 장면들이었다. 불현듯 은비의 목소리가 울려 퍼졌다.

'은비는 엄마가 세상에서 제일 예뻐. 세상에서 제일 사랑해. 맨날 보고 싶어.'

은비는 두 눈에 별을 박은 듯 크고 반짝이는 눈으로 가희를 바라보았다.

'엄마도 우리 은비 세상에서 제일 예뻐. 세상에서 제일 사랑해. 매

일 보고 싶어.'

가희는 은비의 얼굴과 머리카락을 쓰다듬으며 꼭 안아주었다. 이대로 시간이 멈췄으면 하는 순간이다.

유은은 가희의 눈빛이 공허함에서 슬픔으로 바뀌는 것을 알아차렸다. 그때 누군가 현관문을 급히 두드리는 소리가 들렸다.

"가희 언니, 가희 언니, 언니."

윤숙과 유은은 놀라 자리에서 일어났다. 가희가 문을 열자, 윤숙이 온몸에 비를 맞은 채 서 있었다. 반쯤 이성을 잃어 당장이라도 그 자리에 주저앉을 것만 같았다.

"무슨 일이야, 윤숙아. 왜 그래. 어?"

가희는 윤숙의 어깨를 붙잡았다. 유은은 황급히 현관에 있는 우산을 펼쳐 가희와 윤숙에게 씌웠다.

"소애가, 소애가 없어졌어."

"그게 무슨 소리야, 소애가 없어지다니."

"없어. 아무리 찾아도 없어. 어떡해 언니. 우리 소애 어떡해."

윤숙은 눈물을 터뜨렸다.

"윤숙아. 신고는 했지?"

가희는 그 어느 때보다 단호한 말투로 바뀌었다.

"신고했어. 언니."

"걱정하지 마. 꼭 찾을 거니까. 아무 일 없을 거야."

가희는 비를 맞으며 황급히 뛰쳐나갔다. 윤숙과 유은도 함께 뒤따라갔다. 마리도 가희 뒤를 바짝 쫓아갔다.

"소애야, 소애야."

가희와 윤숙, 유은은 흩어져서 소애의 이름을 부르짖었다.

'제발, 소애가 무사하길. 찾을 수 있게 도와주세요. 제발요.'

유은은 간절히 기도하며 소애의 이름을 목이 터질 듯 불렀다.

가희는 차가 잘 다니는 도로를 따라 빠르게 뛰었다. 차들이 제법 빠른 속도로 가희 곁을 지나쳐갔다. 가희는 언덕길을 올랐다. 유은은 언덕을 오르는 가희를 발견하고 뒤따라 뛰어올랐다. 가희는 도로에 놓인 무언가를 발견하고 자리에 우뚝 멈춰 섰다. 소애가 늘 손에 꼭 쥐고 다니던 인형이었다. 가희는 자동차 바퀴에 잔뜩 때가 묻은 채 비에 흥건히 젖은 인형을 집어 들었다. 가희는 도로 위로 뛰어들다시피 해 지나가는 차를 향해 양손을 마구 흔들었다. 유은은 놀라 언덕을 빠르게 뛰어 올라가 가희를 붙잡았다.

"뭐 하시는 거예요? 여기 차들 빠르다고요."

유은은 소리치며 가희의 팔을 잡고 인도 쪽으로 끌어오려 했지만, 말릴 수 없었다. 차 한 대가 빠른 속도로 가희와 유은 곁을 지나쳐갔다. 두 번째 차를 향해서도 필사적으로 가희는 간절히 양손을 휘둘렀다. 흰 승용차가 멈춰 섰다. 중년의 남성, 문호가 운전대를 잡고 있었다.

"무슨 일이에요? 예?"

"저 좀 태워주세요. 애가, 애가 병원에 있어요. 빨리, 빨리요. 빨리 가주세요."

"얼른 타세요."

문호는 더 설명을 듣지 않고 가희와 유은을 태웠다. 문호는 페달을 밟았다. 비는 계속해서 쏟아지고 있었다. 병원에 도착한 가희는 응급실부터 찾았다.

"은비야. 은비야."

소애의 이름을 부르던 가희는 병원에 들어서자마자 은비의 이름을 애타가 부르짖기 시작했다. 유은은 가희를 따라 응급실로 뛰어갔다. 유은은 소애가 응급실 침대에 누워있는 것을 발견했다. 소애는 발목에 붕대를 감고 있었다. 유은은 소애의 얼굴을 확인한 것만으로 온몸으로 안도감을 느꼈다. 바로 윤숙에게 전화를 걸었다.

"사장님, 소애 찾았어요. 근처 병원이에요."

유은은 주저앉아 울고 있는 가희를 보았다.

"아이, 어머니 되세요?" 간호사가 가희에게 물었다.

"은비야, 은비야." 가희는 울음을 멈추지 않았다.

가희는 눈물을 멈추지 않았다. 유은의 눈에도 눈물이 흐르기 시작했다. 곧이어 도착한 윤숙은 간호사에게 소애가 교통사고로 발목이 부러져 바로 응급조치를 취했다는 말을 들었다. 윤숙은 울고 있는 가희를 끌어안았다. 유은도 천천히 가희에게 다가가 그녀를 안아주었다.

유은이 제주, 애월을 떠나는 날이 다가왔다. 9월 초, 화창한 날씨였다. 애월 바다가 유난히 푸른 빛을 띠었다. 윤숙의 보살핌에 소애의 발목은 빠르게 회복하고 있었다. 유은과 가희는 유은이 떠나는 전날 함께 산책로를 걸었다. 드넓은 바다가 한눈에 보이는 장소에 도착했다. 부드러운 바람이 불어왔다. 둘은 바다로 지는 해를 가만히 바라보았다. 유은은 노을 너머 멀리서 헤엄치고 있는 돌고래를 본 것 같았다. 아마 가희도 보았을 것이다. 유은과 가희는 그리운 얼굴을 떠올렸다. 애월의 바다는 잔잔하게 흐르고 있었다.

이방인의 데시벨

이수영

이수영   2011년부터 2023년까지 베트남에서 일했다. 2030 청춘을 해외에서
보내고 다가오는 40대를 한국에서 차분하게 맞이하고 있다. 키오스크
와 전자결제에 익숙해지려고 부단히 노력 중이다. MBTI가 같은 한 살
터울의 유쾌한 친언니와 여행하는 것이 낙이다. 바닷가에서 석양을 마
주 보고 맥주 마시는 것을 매우 좋아한다.

인스타그램: @beerbooryeah

1. 성준

아침 6시 30분. 온몸이 땀으로 흠뻑 젖어 잠에서 깼다. 간밤에 에어컨을 나도 모르게 꺼버렸나 보다. 에어컨은 계속 틀어두면 춥고, 끄면 또 금세 더워져 방 안의 온도를 적절하게 조절하기가 쉽지 않다. 손을 더듬어 핸드폰을 켜고 홈 화면에서 기온을 확인했다. 베트남 하노이, 현재 기온 33도. 아침 7시가 되지 않았는데 벌써 33도라니. 낮 최고기온은 39도라는 정보에 한숨이 나왔다. 하노이의 여름은 푹푹 찌다 못해 숨까지 턱턱 막히는 날씨다. 요놈의 아파트는 설계를 어떻게 한 건지, 창문을 열어도 열에 달궈진 바람으로 꽉 막혀서는 순간적으로 가쁜 숨을 내뱉게 한다. 침대에서 납덩이처럼 무거운 몸을 힘겹게 일으켜 찬물로 땀을 씻어내기 위한 샤워를 했다. 오늘도 여전히 익숙하지 않은 아침이다.

다음 달이면 S 건설 베트남 하노이 지사로 파견 나오게 된 지 벌써 3년 차에 접어든다. 20대 끝자락에 해외에서, 그것도 동남아에서 근무하게 될 줄은 입사할 때만 해도 상상조차 하지 못했다. 하지만 해외 지사 파견에 대한 제안을 받았을 당시에는, 경력에 기회가 될 수 있겠다는 생각이 들었다. 해외 근무를 끝내고 돌아온 선배들은 확실히 승진이 누구보다 빨랐다. 파견 담당자의 말로는 하노이 지사는 지은 지 1년이 채 되지 않은 고급스럽고 세련된 38층짜리 비즈니스 센터 건물이라 했다. 게다가 회사에서 마련해 준 아파트에서 오른쪽으로 한 블록 지나면 길 건너편이 회사라 일하기에도 적합할 것이라며 설득했다.

하지만 직접 하노이로 와보니 실제와는 매우 달랐다. 출근길은 도보로 5분 거리지만, 그게 만만치 않았다. 칼로 찌르는 듯한 더위와 흙먼지를 일으키며 매연을 내뿜는 자동차, 아스팔트에서 올라오는 복사열과 30도를 넘나드는 온도가 숨이 막힐 정도로 압박을 해왔다. 도로 사정이 협소한 탓에 오토바이 무리가 인도로 침범하여 클랙슨을 크게 울려대는 통에 내리쬐는 햇빛 아래서 한 걸음 걷기가 벅찼다. 게다가 보행 공간은 사람이 아니라 오토바이를 위한 것이라 해도 과언이 아니었다. 최소한의 보행 공간조차 가질 수 없는 오토바이 물결을 어렵게 헤치며 구두 굽이 망가지지 않도록 조심하며 발을 내디뎌야 했다.

땀으로 달라붙은 머리를 훔치며 32층 사무실에 도착했다. 흘린 땀만큼 수분을 보충하기로 했다. 얼음이 듬뿍 들어간 블랙커피를 타 마시며 오전 9시에 한국 본사와 있을 회의를 준비했다. 본사보다 2시간 느린 시차 탓에 출근하자마자 시작해야 했다. 덜 말린 머리는 어느새 말라 있었다. 키보드를 두드리며 어제 퇴근하기 전에 완성해 놓은 '베트남 건설 시황 정보 보고서'를 출력했다. 도시는 도무지 익숙해 지지가 않는데 회사와 기획팀 업무는 그래도 손에 꽤 익었다. 그렇게 위안을 느끼며 빨대 속으로 흘러들어 오는 시원한 카페인에 여유롭게 뇌를 맡겼다.

띠링 -

'미안하다고 하는데 왜 대답이 없어? 이 정도까지 하는데 좀 너무한 거 아니야?'

성준에게 온 문자였다. 그러고 보면 나는 연애에도 익숙해지지 않았다. 먼 이국땅에서 만난 한국 남녀의 연애라 더 그럴지도 모른다. 사실 나보다는 성준이 더 서툰 것 같지만. 날 선 문자에 답장하기가 망설여졌다. 무슨 말을 해도 달라지는 건 없는데. 한숨을 내쉬며 핸드폰을 뒤집어 책상 위에 아무렇게나 던져두었다.

성준은 베트남에 거주하는 동문을 대상으로 하는 K대 송년회에서 처음 만났다. 하노이에서 가장 큰 호수가 시원하게 내려다보이는 호텔 루프탑 라운지에서 성준은 눈에 띄는 학과 후배였다. 말쑥한 정장 차림에 키가 훤칠한 그는 피부가 하얗고 눈썹이 짙었다. 각진 턱이 도드라져 보였고 부산 사투리가 묻어나는 표준어를 썼다. 옆자리에 앉은 성준은 부모님이 운영하는 여행사 하노이법인을 맡은 지 이제 한 달이 되었다고 했다. 그러면서 그는 잘 부탁한다며 웃었다. 수줍어하는 모습이 꽤 귀여웠다. 번호를 교환하고 몇 번 만났다. 만날 때마다 끊이지 않는 대화 주제로 웃는 날들이 많아졌다. 그는 하노이에서 데이트를 처음 해본다고 했다. 지루할 것만 같았던 해외 생활이 나로 인해 즐거워질 것 같다고 했다. 그는 여자에게 잘 보이려고 애쓰는 남자였다. 그가 호의를 대놓고 드러내는 타입이라 마음에 들었다. 처음으로 가족들과 떨어져 이국땅에서 생활하는 나에게 성준은 외로움을 충족시켜 주는 존재였다. 우리는 성준이 미리 준비한 리스트를 참조하며 관광객처럼 하노이 곳곳을 돌아다니며 맛집을 가고 마사지를 함께 받았다. 그러지 않는 게 더 부자연스러울 정도로, 우리는 연인이 되었다.

처음 만나고 한 달 동안은 정말 좋았다. 그런데 만날수록 그의 말과 행동에는 뭔가 설명하기는 어려운 '틈'이 있었다. 처음엔 그가 베트남에 온 지 얼마 되지 않아서, 아니면 연상의 여자와 만나본 적이 없어서 어색해서 그러는 건가보다, 하고 생각했다. 하지만 틈은 메울 시간도 없이 벌어지고 있었다.

예를 들면 이런 식이었다. 어렸을 때부터 책을 좋아했다는 그의 집에 책이라곤 〈부자 아빠 가난한 아빠〉와 〈용의자 X의 헌신〉이 전부였다. 미국에서 MBA를 했다던데, 그는 식당에서 주문하거나 택시 기사에게 목적지를 설명할 때조차 영어가 매끄럽지 않았다. 허세 정도는 귀엽게 봐줄 수 있었지만, 뭔가를 숨기고 있다는 찜찜한 구석이 계속 보여 마음이 편치 않았다.

한번은 이런 적도 있었다.

"성준아, 우리 학교 정문 앞에 분식점 기억나? 거기 진짜 떡볶이 죽여줬잖아. 나 거짓말 좀 보태서 매일 그거 먹었어. 그래서 대학생 때 몸무게 60킬로 찍었다? 아, 거기 식당 이름이 뭐였더라. K대 명물이라고 거기 모르는 학생들이 없었는데. 갑자기 기억날 듯 안 나네."

성준은 생각하는 듯 고개를 갸웃거리다가 조금 망설이며 대답했다.

"......나 학교 주변 식당은 한 번도 가 본 적 없어서 잘 몰라. 위생이 그다지 좋지 않을 것 같아서 안 갔어."

"어? 거기 나 입학할 때쯤 리모델링해서 위생적으로는 꽤 괜찮았던 것 같은데."

"사실 나 떡볶이 별로 안 좋아해. 그건 그렇고, 60킬로? 포동포동하니 귀여웠겠다. 사진 없어?"

"뭐야, 언제는 내가 해주는 떡볶이가 제일 맛있다며. 안 좋아하는데도 먹었어?"

"네가 해주는 것만 맛있어. 여하튼 사진이나 보자. 얼른 보여줘."

의문스러웠지만 제대로 따지고 들기 무서웠다. 만약 사실이 아니라면 어떻게 해야 하는지 알 수 없었다. 성준은 화가 나면 머리를 쥐어뜯거나 욱해서 주변에 누가 있던 소리를 치는 폭력적인 성향을 보이곤 했다. 그때마다 말리며 빈번히 다투곤 했지만, 그게 나를 향한 것이 아니라서 그동안 괜찮다고 합리화했던 것 같다. 그는 낯선 사람들에게는 예민했고, 나에게는 친절했다. 이해하기 어려운 '틈'은 점차 거대한 '물음표'로 변해가다 이내 '마침표'로 진화하는 중이었다. 그래서 성준과 제대로 된 대화를 나누는 게 두려웠다. 나는 외로움을 이기지 못해서 그를 곁에 두기로 한 것일까. 화가 난 성준을 맞닥뜨리는 상황을 생각하는 것조차 견디기에 버거웠다.

그러다 일주일 전, 대학 선배를 통해 듣게 되었다. 그가 K대생이 아니라고 했다. 서울의 동문회장이 학부별로 회원 정리를 하다가 한 명의 소속 학과를 찾아내지 못한 것이다.

참지 못하고 처음으로 성준에게 전화로 따져 물었다. 어떻게 된 일이냐고, 그날 동문회에는 왜 왔던 거냐고. 현수 선배, 선배님 거리며 그동안 학교에서 있었던 추억들로 웃고 떠들던 성준이는 누구였냐고, 떨리는 목소리로 물었다. 이유가 있을 거라고, 의문스러웠던 모든 걸 해명하고 안심시키기를 기대하며 그의 반응을 기다렸다. 그러자 성준은 그저 묵묵히 듣고만 있다가, 어떤 변명도 하지 않고 희미하게 욕을 내뱉더니 일방적으로 전화를 끊어버린 것이다.

심장이 쿵쾅거렸다. 지금까지 내가 알던 성준은 누굴까. 어디서부터 어디까지가 거짓말인 걸까. 그러자 그가 일하는 곳이 어딘지도 모른다는 게 떠올랐다. 성준에 대해서 알고 있는 게 별로 없다는 걸 그제야 깨달았다.

만난 지 오 개월이 지났을 무렵이었다.

2. 메니에르병

삐이이이 -

왼쪽 귀에서 나는 소리다. 또 시작되었다.

"한 가지 증상만으로는 판단하기는 어렵지만, 메니에르병 소견입니다."

지난달부터 귀에서 간헐적이지만 불쾌한 소음이 들려서 베트남 병원을 찾았다. 하지만 의료 시설이 열악한 하노이병원 이비인후과에서는 원인을 알 수 없었다. 어쩔 수 없이 회사에 사정을 설명하고 짧은 휴가를 내서 한국의 꽤 유명한 귀 전문병원으로 갔다. 몇 가지 검사를 끝내고 의사와 마주 앉았지만 처음 듣는 병명이었다. 인터넷으로 찾아보니 발작적인 어지럼증, 청력저하, 이명, 이충만감이 동시에 발현되는 증상이라 한다. 나는 이명, 즉 귀울림과 약간의 먹먹함만 해당하는데, 뭔가 정확히 떨어지는 병명인지는 잘 모르겠다.

"스트레스가 가장 큰 원인이에요. 여성 호르몬과도 관계가 있고요. 지금 증상에는 따로 약을 처방하기보다는 그 원인을 없애면 좀 호전될 겁니다."

지금 상황에 스트레스 원인이 한둘이 아니지만, 내 의지로 극복할 수 있는 병인 것 같았다. 고민을 해봤다. 좀처럼 익숙해지지 않는 덥고 습한 하노이에서의 파견 근무는 약 8개월 뒤에 끝난다. 조금만 더 참으면 싱그러운 사계절이 있는 한국에서 살 수 있다. 성준과는 이미 사이가 틀어졌으니 헤어지는 건 시간문제일 것이다. 모든 게 시간에 맡

기다 보면 스트레스는 사라진다. 그러니까 지금은, 참는 것밖에는 별 도리가 없다. 참는 것이 내 의지로 극복하는 방법인지는 잘 모르겠지만 말이다.

하노이로 돌아오기 전에 플라시보 효과라도 보기 위해 강남의 유명한의원에서 보약 2개월분을 챙겨 왔다. 귀에서 삑-거리는 소음을 애써 무시하며 사무실 냉장고에서 약 한 봉지를 꺼내 입안에 털어 넣었다. 그리고 책상 위 노트북 화면 가운데에 커다랗게 떠 있는 글자를 오랫동안 응시하며 쓴 액체를 목구멍에서 식도로 흘려보냈다.

'한국 복귀 D-250'

3. 면담

"안녕하세요, 하노이로 출장 온 조직 관리팀 김우진 과장이에요."

2주 전부터 곧 출장자가 온다며 관리팀이 부산스럽더니, 그게 오늘이었나 보다. 부서별로 돌아다니며 인사를 건네는 그의 표정이 한결같이 부드러웠다. 곧게 줄 잡힌 남색 정장에 넥타이까지 갖춰 입고 덥지도 않은지 직원 한 명, 한 명마다 손을 내밀고 있었다. 반년 정도 주재하며 현지인 채용 시스템을 정비한다고 했다. 해외 지사로 첫 발령받아 들뜬 김 과장을 보니 3년 전의 내가 떠올랐다. 나도 저런 표정을 짓고 있었겠지. 지금 내 표정은 어떻게 보일까. 찡그리고 있지만 말아야 할 텐데.

"현수 씨, 잠깐 둘이 회의 좀 할까요?"

김우진 과장은 부임한 지 겨우 3시간이 지났는데도 오후에 현지인을 포함한 한국 직원 모두와 상담할 작정이었다. 최대한 귀찮은 내색을 하지 않으려 애쓰며 5분만 기다려 달라고 했다. 그래도 잘 보여놔서 나쁠 것 없지. 화장실에서 옷매무시를 다듬고 치아에 끼인 건 없는지 점검하고, 양쪽 입꼬리를 올리는 연습도 해봤다. 김 과장의 회의를 가장한 '해외 파견자 근무태도 점검'의 취지에 맞게 대응해 보기로 했다.

"본사에서 현수 씨 소식 전해 듣고 있었어요. 꽤 적응도 잘하고 열심히 한다던데요?"

칭찬부터 시작하는 그의 첫마디에 정말로 적응 잘하는 열정 있는 직원이 된 기분이었다. 살짝 긴장이 풀렸다. 지금부터는 이런 분위기를 그대로 유지하며 질문에 적당히 대답하면 될 것이다.

"네, 부서장님, 팀장님 덕분이죠. 모두 잘해주고 계세요. 현지 직원들도 잘 따라와 주고요. 딱히 스트레스가 별로 없어요."

사실 꼰대계의 떠오르는 샛별 같은 기획부 팀장님과 영어로 아무리 설명해도 못 알아듣는 척하는 현지 직원들 때문에 부아가 치민 적이 한두 번이 아니지만, 굳이 그런 이야기를 인사팀에 할 필요는 없었다.

"그렇군요. 다행이에요. 그런데 표정에 그늘이 보인다. 다른 스트레스도 있어요? 회사 생활 말고. 그런 것도 해외 근무자에 대해 회사가 파악해야 하는 정보니까. 편하게 말해봐요. 오프더레코드로 할게요."

그동안의 짧지만 굵은 회사 생활로 절대 오프더레코드가 안될 거라는 걸 잘 알고 있었다. 그런데 김 과장 표정이 내심 진지했다. 세심한 관찰력에 감탄하며 그제야 그를 찬찬히 살펴봤다.

맞은편 사무용 의자에 반듯하게 앉은 김우진 과장은 말끔히 손질해 넘긴 옆머리, 부드럽게 잘 잡힌 눈가의 주름과 균형 있게 뻗은 코로 인상이 전체적으로 부드러워 보였다. 또 무표정이라는 걸 모르는 듯이 양쪽으로 입가가 살짝 올라가 있었다. 곧은 등허리는 줄곧 바른 자세로만 살아온 엘리트 스타일 같은 품위가 느껴졌다. 그리고 무엇보다, 목소리가 아주 근사했다. 긁히는 공간 없이 곧게 뻗어 귓가에 꽂혔다. 잔잔한 파도에 일렁이는 물결 같은 목소리. 무엇을 말해도 지휘자처럼 올곧은 자세로 스치는 바람에 우아하게 날려 줄 것 같았다. 나도 모르게 말을 꺼내 버렸다.

"사실, 반년 전쯤에 동문회를 갔었는데요…….."

말하는 사이 나도 모르게 울먹이고 말았다. 병원에 다녀온 이후로 누군가에게 처음으로 털어놓은 것이었다. 도중에 속으로 몇 번이나 그만하라고 외쳤지만, 멈출 수가 없었다.

"……그래서 한 쪽 귀가 고장 나 버렸어요. 저 때문이에요. 제가 눈치도 결단력도 없어서 일이 이렇게 되어버렸어요. 헤어지자고 하면 되는데, 무서워요."

한번 시작한 말들이 쏟아져 나와 바닥 깊숙이 가라앉고 있었다.

4. 김우진 과장

차창 밖으로 끝나지 않는 오토바이 행렬이 보였다. 서로 경주하듯이 흡사 전쟁터처럼 앞지르기하며 쉴 새 없이 경적을 울려댄다. 정신을 혼미하게 하는 소리에 깜짝깜짝 놀라는데 어떻게 된 일인지 도로 위의 사람들은 무반응이었다. 아무도 비켜주지 않는데, 저 먹먹한 소음은 누구를 위한 것인지 도무지 이해할 수가 없다. 도로는 훼손된 곳이 많아서 거의 비포장도로나 다름이 없다. 거기다 대형 화물차량들과 버스들이 가세해 굉음과 함께 먼지를 사방으로 흩날리고 있었다. 기차의 기적 소리 같은 소음과 왼쪽 귀의 일방적이고 일정한 소음이 뒤섞여 머리가 어지러웠다.

오늘은 하노이에서 약 120km 떨어진 항구도시 하이퐁(Hai Phong) 지사에 지역 감리단 회의가 있어 회사 렌터카를 타고 아침 일찍부터 나섰다. 하이퐁은 베트남에서 중국 남부의 해안으로 나가기 위한 주요 교통 허브로 깊고 푸른 바다가 매력적인 도시다. 다만, 수천 개의 석회암 봉우리들로 절경을 이루는 유명 관광지 할롱 베이(Halong Bay)로 가는 국도와 연결되어 있어 교통 체증은 하노이 못지않다. 김 과장은 옆자리에 신기하게도 저 요란한 소음이 신경 쓰이지 않는지 태평스럽게 앉아있었다. 차량을 종일 사용하기로 해서, 김 과장도 하이퐁 지사에 인사도 할 겸 채용시스템 관련해 질의도 할 겸 함께 가기로 한 것이었다.

'어쩌자고 그런 얘길 한 거야.'

그날 면담이 끝나고, 조금 당혹스러워하던 김 과장이 떠올랐다. 하지만 그는 이내 표정을 풀고 부드러운 미소를 유지하려 노력하는 것 같았다. 나의 가빠진 호흡이 차분해지기까지 참을성 있게 기다려 주었다. 그 후로 그를 괜스레 피해 다니고 있었는데, 이렇게 장거리를 함께 둘만 이동하게 된 것이다. 앞으로 하이퐁 도착까지 1시간 남짓 남았다.

시끄러운 밖과는 대조적으로 차 안의 침묵이 무겁게 내려앉았다. 먼저 침묵을 깬 건 김 과장이었다.

"현수 씨, 지난번에 해준 얘기 말이에요."

"네…… 면담에서 할 얘기가 아니었지요. 저도 모르게…… 죄송해요. 너무 개인적인 얘기를 해서."

"아니, 그런 게 아니라."

그는 살짝 미소 지으며 말을 이었다. 이내 표정이 진지해졌다.

"그동안 많이 힘들었을 것 같아서. 타지에서 그런 일 겪고 혼자 두려웠을 텐데. 처음 보는 회사 사람에게 털어놓을 정도로 마음도 많이 지쳐있었겠죠. 하노이에서 잘 적응하고 있을 거로 생각했는데, 나도 당황해서 그날 제대로 얘기를 못 들어준 거 같아서…… 미안해요."

"……."

"현수 씨 탓 아니에요. 현수 씨 예쁘고 일도 잘하고 직원들도 좋아하고. 잘못한 게 뭐가 있어? 자책하지 말아요. 전부 다 그 나쁜 놈 때문이야. 앞으로 힘든 거 있으면 언제든지 말해요. 들어주는 건 잘할 수 있으니까. 알겠죠? 그리고 그 놈이 또 연락해 오면 알려줘요. 회사 차원에서 도와줄 일이 있을지도 모르고, 내가 혼쭐을 내줄 수도 있고. 아, 아니 그러니까 내 말은, 혼자라고 생각하지 말라고. 도와줄게요. 늦은 밤이라도 좋으니 무슨 일 있으면 꼭 전화해요. 물론 무슨 일이 있어선 안 되겠지만."

다소 횡설수설 늘어놓는 그의 말이지만 안정감이 밀려왔다. 처음의 인상처럼 올곧고 교과서적인 말만 하는 사람일 줄 알았는데, 꽤 허술한 면이 있었다. 듣기 좋은 음색을 가진 김 과장의 목소리에 마음이 차분해졌다. 순간 차창 밖의 소음도 들리지 않는 것 같았다. 왼쪽 귀의 거슬리는 소리도 사라졌다. 어느새 사방이 조용해졌다. 그가 말할 때는 모든 소음이 옅어지는 기분이었다.

5. 소리와 소음

어릴 적부터 정확하게 언제인지는 기억나지 않지만, 나는 소리에 민감했다. 소리를 내는 모든 나는 것, 타는 것, 달리는 것에서부터 바닥을 빗질하는 소리, 식기 부딪히는 소리, 책걸상을 끄는 소리 같은 생활 소음까지 귀에 거슬리곤 했다. 하지만 무엇보다 사람들이 내는 소음을 더 견디기 힘들어했다. 고함을 치며 누군가를 부르는 소리, 시끄럽게 통화하는 소리는 물론이고 길거리에서 가래침 뱉는 소리, 거나하게 먹고 마신 후 트림하는 소리, 천둥보다 더 큰 재채기 소리는 미처 피할 새도 없이 귀에 흘러들어오는 것이었다. 게다가 데시벨이 그나마 약한 패딩 스치는 소리, 다리 떠는 소리, 들숨과 날숨소리, 입맛 다시는 소리조차도 나를 불안하고 초조하게 만들었다. 보통 사람들보다 예민하게 군다는 걸 알면서도, 나는 그럴 때마다 양손 검지로 귓구멍을 틀어막고 고개를 푹 숙여야 했다. 최대한 그 자리를 벗어나는 수밖에 없었다.

그런데 어쩌다 보니 종합소음 세트 같은 베트남으로 4년 동안이나 일하러 오게 된 것이었다. 항상 귀를 막고 다녀야 했다. 하지만 가장 견디기 힘들었던 소리는 따로 있었다. 바로 사귀는 연인들이 내던 소리였다. 터뜨리는 웃음이나 특유의 말투, 음식물 씹는 소리가 귀에 거슬릴 때 사랑이 끝난다고 생각했었다. 특히 성준의 목소리에는 쉰 소리가 났다. 사투리를 쓰지 않으려고 애쓰는 그의 목소리에는 매번 거짓이 배여 있었다. 좋아하는 사람이 내는 **소리**가 **소음**으로 변하는 순간이었다. 더구나 성준이 아무렇지도 않게 내뱉던 욕들, 자신의 발음이 부정확하다는 걸 모르고 식당에서 종업원들에게 못 알아듣는다며 다그치고, 잘못된 방향으로 가는 택시 기사에게 언성을 높이던 그의 목소리는 무척이나 시끄러웠다. 차라리 귀를 막고 싶었던 순간들이 한두 번이 아니었다.

반면 우진이 내는 소리는 달랐다. 호쾌하고 웃는 사람이었고, 가끔 흥얼거리는 콧노래도 감미로웠다. 직원들 앞에서 발표할 때나 회식 자리에서 건배사 할 때조차도 독보적인 신뢰의 소리를 냈다. 가벼우면서도 깊고, 얕으면서도 짙은 소리였다. 녹음해서 듣고 싶을 정도로 그의 목소리에 빠져들었다.

말을 걸어서라도 목소리를 계속 듣고 싶었다. 요란하고 어수선한 하노이에서 고요하고 편안한 그 소리를 듣고 있노라면 성준과의 일도 잠시나마 잊을 수 있었다. 사무실 탕비실이나 건물 1층 카페에서 우진을 마주칠 때마다 잡담을 나누고 싶어 안달이 났다. 일부러 시간 들여 가장 맛있는 쌀국수를 파는 곳을 검색해 놓고 단골인 것처럼 우진에게 소개해 주었다. 수제 맥주를 좋아한다는 그에게 하노이에서 유명한 양조장 펍 리스트를 뽑아서 아지트라도 되는 마냥 비밀스럽게 알려주곤 했다.

그러니까, 그날 어쩌다 갑자기, 뜬금없이 해버린 그 말은 결코 과장된 부분이 없었을 것이다. 휴게실에서 마주친 우진과 좋아하는 베트남 음식 얘기를 한참 나누다가, 불현듯 그에게 물었다.

"저...... 과장님도 아세요? 목소리가 정말 좋으시다는 거. 그런 얘기

많이 들으시죠?"

"응? 내 목소리? 다들 느끼하다던데. 그럴 리가요."

"아니에요, 정말 좋으세요. 실은, 과장님이 말할 땐 고장 난 한쪽 귀도 뚫어버리는걸요. 진짜 듣기 좋아요."

"......이 대리."

갑자기 그의 표정이 단단한 돌덩이처럼 굳어지고 있었다. 조바심이 났다.

"나는 회사에서 기준을 잘 잡아야 하는 위치에 있는 사람이에요. 아무리 친해졌다고 해도 상사에게 오해할 만한 발언은 하지 않는 게 좋겠어요."

방금 말한 내 진심이 오해의 소지가 있었던 걸까. 얼굴이 화끈 달아올랐다. 김 과장은 모두에게 동등한 목소리를 내고 모든 직원에게 친절한 조직 관리자인 것은 진작 알고 있었다. 다만 나에게 말할 때 짓는 표정이 다른 직원을 대할 때와는 다르다고 생각했었다. 어떤 반응을 기대했던 것일까. 그저 그의 목소리가 정말로 듣기 좋았을 뿐이었다면 그냥 속으로 생각하기만 하면 되는 것을. 얼른 죄송하다고 하고 그 자리를 벗어나야 했다.

* * *

낯설고 시끄러운 도시에도 어김없이 익숙하고 조용한 해가 넘어가고 있었다. 저녁놀이 하늘을 분홍빛으로 물들이더니 벌써 질렸는지 오렌지빛으로 금세 바꾸어버렸다. 우윳빛 구름에 스며든 빨갛고 노란 하늘을 고개 들어 바라보니 눈이 시렸다. 날마다 되풀이되는 일몰이지만, 오늘따라 연한 파스텔의 오래된 수채화를 연상케 했다. 차분하면서 아련한 그리움으로, 길고 가녀린 울림으로 다가왔다. 퇴근길의 하늘은 왜 이다지도 속도 모르고 아름다운 건지. 시나브로 물들어가는 어스름을 쫓으며 상념에 젖은 발걸음을 내디뎠다. 두 발이 쇳덩이를 매단 것처럼 무거웠다.

내가 김우진 과장님에게 갖는 감정은 무엇일까? 정말로 목소리만 좋아하는 것일까? 다른 감정은 없는 것인가?

어느새 그의 목소리뿐만 아니라 그를 좋아하게 되어버린 걸까. 내 마음을 알지도 못한 채 들켜버리고 거절을 당한 것일까. 속이 너무 시끄러웠다. 머리가 지끈거렸다.

어두운 골목 어귀를 벗어나 대낮처럼 환한 아파트 로비에 들어서려는데 문자 수신음이 울렸다.

'지금 어디야? 일단 만나서 얘기해. 설명하면 되잖아.'

성준이었다. 순간 관자놀이 쪽에 심한 통증이 밀려왔다. 한 걸음을 내딛는 데 너무 많은 힘이 들어갔다. 메니에르병의 가장 흔한 증상이라던 어지럼증인지, 단순한 빈혈인 건지 알 수 없었다.

로비의 환한 빛에서 겨우 몇 걸음 벗어나 있는 어둠이 고양이 걸음처럼 음흉하게 다가오고 있었다.

6. 푸꾸옥 바다

나는 얼굴을 창문에 딱 붙이고 있었다. 두 발아래의 풍광이 평야에
서 어느새 바다로 바뀌었다. 듣던 대로 150km의 해안선을 따라 쪽빛
바다가 길게 펼쳐져 있었다. 하노이에서 한 시간이 채 걸리지 않았다.
불현듯 녹슨 칼이 도려내는 듯한 지끈한 아픔이 마음에 스쳤다. 이렇
게 아름다운 바다가 지척에 있었다. 맑고 깨끗한 바다, 바다 위에 떠서
몸을 흔들거리며 고개를 끄덕이는 수많은 어선, 엽서에서나 볼 수 있
는 마을의 정경이 베트남에도 있었다. 하노이에 온 이후로 여태 바다
에 가지 않았다는 사실이 믿기지 않았다. 그동안 몸과 마음의 소음으
로 괴로워만 하던 내가 바보처럼 느껴졌다. 이렇게 무작정 떠난 적은
하노이에 온 뒤로 처음 있는 일이었다. 일상에서 벗어나 해외로 여행
을 떠나온 것 같은 설렘이 느껴졌다. 기내의 등이 켜지고 곧이어 비행
기가 푸꾸옥(Phu Quoc) 공항 활주로에 착륙했다.

회사에는 휴가를 냈다. 팀장에게 제대로 사정은 설명하지 않았다.
매일 먹던 한약 아시죠? 그 플라시보가 더 이상 통하지 않아서요. 메
니에르병 얘기는 하지 않았다. 김 과장 자리는 쳐다보지 않으려고 애
를 써야 했다. 창가 자리에 앉은 그의 뒷모습이 창문으로 흐릿하게 비
쳤다. 현수 씨, 하고 부르는 듯한 환청이 들리는 듯 했다. 고요하고 느
릿한 목소리가 들리는 것 같았다.

예약해 둔 공항 택시를 타고 해안변을 달렸다. 부드럽게 펼쳐진 드
넓은 백사장에는 야자수가 듬성듬성 서 있었고, 왼편으로 맑은 터키

옥 빛의 물결치는 바다가 부드럽게 감싸고 있었다. 어떤 욕심도 용납하지 않을 듯한 청정한 하늘, 해변을 둘러싼 노상 카페에서 시원한 커피를 앞에 두고 여유롭게 앉아있는 사람들. 도로변 곳곳의 자판에는 붉고 노란색의 과일들이 탐스러운 빛을 발하고 있었다. 질주하는 오토바이와 자동차가 가득한 하노이 도로에서 벗어나 시원한 바닷바람을 맞으니, 오랜만에 제대로 휴식을 취하고 있다는 느낌이었다.

한참을 달리니 저 멀리서 숙소의 간판이 보였다. '그린베이 리조트'는 푸꾸옥 야시장에서 200미터 떨어진 조용한 바닷가에 있었다. 친절한 미소를 품은 종업원들과 반갑게 인사를 나눈 후 배정받은 방의 푹신한 침대에 얼른 벌러덩 드러누웠다. 이런 시간이 너무나 그리웠다. 신선한 공기를 듬뿍 마시고 여유 있게 산책하고 선베드에 누워 음악을 듣는 온전히 나를 위한 휴식 시간. 바다가 보이는 방에서 실컷 잠을 자다가 문득 눈을 떠도 보이는 이런 천국에 몸을 내맡기고 싶었다. 모든 알람을 꺼버리고 그대로 누워 눈을 감았다. 그리고 지금을 만끽했다.

객실은 해변 한가운데 있었다. 모래사장 양옆으로는 솔 비치, 망고 베이 같은 이름의 리조트가 해안선을 따라 줄지어 들어서 있었다. 각 구역을 정하는 빨간 깃발과 숙박객 전용 볏짚 파라솔이 군데군데 보였다. 통유리창을 뚫고 들어오는 햇살이 따사롭게 침대 시트를 적셨다. 바다 위에는 20대 후반으로 보이는 베트남 여성이 어린 아들을 어깨에 매단 채 둥둥 유영하는 중이었다. 깔깔거리는 웃음소리가 듣기 좋았다. 한가롭고 여유로운 오후였다.

손에 닿는 침대 시트의 감촉이 부드러웠다. 공간이 주는 편안함과 아늑함이 온몸으로 밀려들었다. 그제야 앞으로 3일 동안 머무르게 될 10평 남짓한 객실을 둘러보았다. 머리 위로 여섯 개의 커다란 날개가 달린 천장형 팬이 천천히 돌아가고 있었다. 욕실 옆 공간에는 호두나무 색 원목 테이블이 놓였고, 그 위에는 하얗고 노란 플루메리아꽃 화분이 놓여 있었다. 시원한 바람에 실려 온 향기가 코끝에 스쳤다. 침대 맡 작은 협탁에는 체리 색 블루투스 스피커가 보였다. 손을 더듬어 침대에 아무렇게나 던져둔 핸드폰을 찾아냈다. 스피커와 연결해 플레이어를 재생했다. 타지 생활에 지친 나를 달래주는 영국 록밴드 '오아시스'의 〈Don't Look Back In Anger〉 피아노 버전 곡이었다. 멜로디가 흘러나오고 머릿속으로 천천히 가사가 떠올랐다.

Step outside the summertime's in bloom
Stand up beside the fireplace
Take that look from off your face
You ain't ever gonna burn my heart out
밖으로 나와봐, 화창한 여름날이잖아
벽난로 옆에 서봐
그런 표정은 짓지 말고
난 더는 너로 인해 상처받지 않을 거야

And So Sally can wait,

she knows it's too late as we're walking on by

My soul slides away,

but don't look back in anger I heard you say

샐리는 기다릴 수 있어

하지만 우리를 스쳐 갈 때 너무 늦었다는 걸 알겠지

내 영혼이 떠나버린다 해도

화내며 뒤돌아보지 말라는 그 말을 들었어

철썩이는 파도 소리와 피아노의 느릿한 선율이 고요히 방을 울렸다. 바다에서 수영하던 엄마와 아들은 어느새 객실로 돌아갔는지 보이지 않았다. 통유리창 프레임 속 하늘은 투명하고 한없이 맑았다. 푸르스름한 뭉게구름이 활기차게 떠다니고 있었다. 침대와 한 몸이 된 나는 귀의 소음도 시끄러운 마음도 아무것도 들리지 않았다. 차마 놓지 못하고 꽉 움켜쥐고 있었던 생각들도 힘없이 스르르 놓았다. 조용하고 잠잠했다. 무(無)의 세계에 들어온 느낌이었다.

문득 한국에 있는 가족과 친구들을 떠올렸다. 거기는 이제 곧 저녁 먹을 시간이겠구나. 잘 지내고 있을까? 벌써 나를 잊은 건 아니겠지? 조금 쓴웃음이 났다. 기획팀 직원들을 떠올렸다. 갑자기 휴가를 내는 바람에 나의 공백을 메꾸느라 아주 곤란할 것이다. 미안함과 고마움의 표시로 돌아가는 길에 푸꾸옥 특산물이라는 통후추를 듬뿍 사 가야겠다고 다짐했다. 성준을 떠올렸다. 성준과는 2주 전에 집 근처 카페에서 만났다. 만나러 가기까지 용기가 필요했다. 막상 만나서도 어떻게 말을 꺼내야 할지, 망설이고 망설였다. 그의 반응이 두려워 우물 쭈물하고 있는데 먼저 헤어지자고 말을 꺼낸 건 성준이었다. K대 동문회에 온 건 영업을 위함이었고, 후배로서 다가가야 나를 사귈 수 있을 것 같았다고 했다. 그저 잘 보이고 싶은 마음뿐이었다고, 그동안 속여서 미안하다고 했다. 욕하거나 소리치지는 않았다. 아이스 커피잔에 담긴 각얼음이 녹아 달그락거리는 소리가 성준과의 공간 사이로 울려 퍼지고 있었다. 그것으로 모든 게 다행이라 여겼다.

그리고 우진을 생각했다. 그의 목소리가 들리는 듯했다. 낮게 깔리는 감미로운 선율의 소리. 유일하게 거슬리지 않는 소음을 가진 사람. 시끄러운 공간 속 청명하고 은은한 소리의 남자. 하이퐁 지사로 출장 가던 날, 그가 건넨 위로는 나에게 분명 힘이 됐다. 차 안에 부드럽게 퍼지던 그날의 온도와 습도, 고요한 정적, 그리고 우진의 상냥한 목소리가 떠올랐다. 그 소리에 스스로 희망을 만들었고, 헛된 희망에 걸려 넘어졌다. 아름다운 소리를 듣기 위해서는 적당한 거리도 필요한 법이다.

그리고 나를 생각했다. 맞지 않는 옷을 입은 어색한 모습을 질책하면서 그동안 시간을 허비했다. 귀를 막고 지냈다. 어디도 속하지 못한 이방인이 된 것처럼 굴었다. 서울이든 하노이든 푸꾸옥이든 어느 곳에서나 소음은 있고, 소음이 없기도 할 것인데. 귓속과 귀 바깥의 소리를 균형 맞추는 법을 몰랐다. 소리와 소음의 데시벨을 알맞게 맞추는 방법을 몰랐다. 하모니가 무엇인지 잊고 살았다. 눈앞의 펼쳐진 바다와 구름과 하늘은 이토록 아름답게 어우러져 있는데. 서로가 서로에게 더욱더 조화롭게 보이도록 노력하고 있는데.

어느덧 해가 수평선을 향해 조금씩 스러져가고 그 위로 홍주 빛 하늘이 눈앞에 펼쳐졌다. 잔잔한 파도 소리에 귓속 울림도 포말처럼 사라져가고 있었다.

내 꿈은 치앙마이

한량죠죠

한량죠죠   최근에 읽은 에세이에서 책 안에 자신이 담겨있다고 했던 구절이 기억
에 남습니다. 저에겐 치앙마이 여행이 그렇다고 느껴졌습니다. 저는
새로운 것보다 익숙한 것을 좋아하고, 시끄러운 것보다 조용한 것을
좋아하고, 파티보다 친구와 나누는 대화를 좋아합니다. 말과 다르게
내뱉고 후회하지 않을 수 있어서 글 쓰는 것을 좋아하고, 책이 주는 따
뜻한 위로를 좋아합니다. 치앙마이 여행에서 발견한 꾸밈없는 저의 모
습을 첫 글에 담아보고 싶었습니다.

해가 지면서 하늘이 주황빛으로 물들어 가고 있었다. 밀림에서나 볼법한 키 크고 우거진 나무들의 검은 실루엣이 빠르게 창틀 너머로 사라져갔다. 방콕의 중심과 멀어져 갈수록 낮은 지붕의 집들이 많이 보이기 시작했다. 화려하진 않아도 각기 다른 모양새의 개성 있는 집들이 바깥의 풍경과 하나인 양 잘 어우러졌다. 그 고즈넉한 창밖 풍경에 감탄을 금치 못하던 나는 친구를 따라 핸드폰 동영상을 촬영했지만, 눈에 담은 것만큼의 결과물은 나오지 않았다. 치앙마이로 가는 슬리핑 기차 안은 외국인 관광객과 수학여행을 떠나는 학생들로 가득했다. 그들의 반짝거리는 눈과 들뜬 목소리에서 여행의 설렘이 느껴졌다. 바깥이 완전히 어두워지자, 승무원이 객실의 좌석을 침대로 만들기 위해 돌아다녔다. 기다리다 보니 금방 우리 차례가 되었고 두근거리는 마음으로 통로에서 그 모습을 지켜보았다. 승무원이 숙련된 동작으로 좌석을 연결하고 천장의 매트릭스를 펼치자, 순식간에 2층 침대가 만들어졌다. 나는 만들어진 침대를 신기하게 바라보다가 간이 계단을 밟고 2층으로 올라갔다. 커튼을 치고 누우니 생각보다 아늑하고 편안했다. 그러나 그것도 잠시, 인터넷 연결이 불안정해서 핸드폰이 연결되었다 끊어지기를 반복했다. 결국 나는 핸드폰을 내려놓고 가만히 천장을 바라보았다. 주변이 조용해지자 부풀었던 마음이 가라 앉더니 미뤄둔 고민과 불안이 스멀스멀 밀려왔다. 그때까지 나는 마음 한구석에 자리 잡은 미래에 대한 두려움 때문에 여행을 온전히 즐기지 못하고 있었다.

치앙마이로 떠나오기 전 나는 5년간 다닌 직장을 그만두었다. 회사는 안정적이고 편했지만, 다니는 시간이 늘어날수록 지치는 순간들도 많아졌다. 그런 순간마다 내 마음을 들여다보려 하기보다 그냥 참아 넘기려고만 했다. 견디다 보면 다 지나갈 것이라고만 생각했다. 그러나 참은 것은 사라지는 것이 아니라 마음에 계속 쌓여가고 있었고, 그렇게 번아웃이 찾아왔다. 평소와 다를 게 없던 어느 날, 회사에 있는데 눈물이 멈추지 않았다. 그제야 나를 겨우 버티게 했던 에너지들이 모두 소진되었다는 것을 깨달았다. 내가 무엇을 위해 일하고 있는지 모르겠다는 생각이 들자, 퇴사 결정은 어렵지 않았다. 그러나 문제는 퇴사 이후였다. 해방감은 짧았고, 걱정은 길었다. 가만히 있으면 멈춰있는 게 아니라 뒤처지는 것같이 느껴졌다. 무언가를 해야 할 것 같은 마음에 나는 1년간은 쉬기로 한 결심을 무시하고 다른 것들을 알아보았다. 그렇게 불안에 침체한 나는 또다시 방향을 잃고 어딘지도 모르는 곳을 향해 질주하고 있었다. 뭔가 잘못되어가고 있다는 것을 느낄 때쯤 나의 가장 친한 친구로부터 연락이 왔다. 자신도 퇴사하게 되었으니 같이 치앙마이로 떠나자고 했다. 그 말을 듣고서야 나는 잊혀가던 약속을 떠올렸다. 지난 여름휴가 때 치앙마이로 여행을 다녀오면서 다음에는 퇴사 여행으로 다시 오자는 약속이었다. 나는 노트북을 통해 알아보고 있던 편입과 각종 자격증 학원에 대한 인터넷 창을 닫고, 태국행 비행기 특가 티켓을 검색해 보았다. 그게 이번 여행의 시작이었다.

깜박거리는 조명과 부산스러운 소리에 눈을 떴다. 기차가 목적지와 가까워지고 있었고 승객들이 저마다 내릴 준비를 하고 있었다. 잠이 덜 깬 상태로 간이 세면대에서 간단히 세수만 하고 짐을 챙겼다. 슬리핑 기차가 방콕에서 출발한 지 13시간 만에 치앙마이역에 정차했다. 다시 찾은 치앙마이는 그리워했던 모습 그대로였다. 자연과 조화롭게 균형을 이룬 아름다운 도시의 풍경, 그런 풍경을 닮아 여유와 낭만이 있는 곳. 삶이 지칠수록 고향을 찾게 되는 것처럼 치앙마이에 마음이 이끌리는 것은 자연스러운 일이었다. 치앙마이에서의 날들은 기대한 만큼 평화로운 나날의 연속이었다. 우리는 관광하고 싶어지면 근처의 명소를 검색해서 다녀오고, 그렇지 않으면 숙소에서 쉬었다. 저녁 식사를 제외하고는 하루 종일 밖으로 나가지 않은 날도 있었다. 뭐든 해야 한다는 강박에 쫓기던 한국에서와 달리 무언가를 하지 않아도 마음이 불편하지 않았다.

계획적인 성향과는 거리가 먼 우리였지만 태국에서 보낸 며칠 사이에 자연스럽게 루틴이 만들어져 있었다. 아침에 일어나면 조식을 먹으러 숙소의 식당으로 향했다. 평상시 아침을 챙기지 않던 우리지만 치앙마이의 숙소에 머무르는 동안에는 조식을 단 한 번도 거른 적이 없었다. 우리가 예약한 숙소는 이전 치앙마이 여행 때 머물렀던 곳이었는데, 다른 좋은 조건의 숙소들을 마다하며 다시 그곳을 선택하게 한 것이 바로 조식이었다. 그곳의 조식은 음료, 식사류, 디저트까지 선택할 수 있는 메뉴가 매우 다양했고, 그곳이 아니면 먹을 수 없는 특별한 메뉴들이 존재했다. 두부로 만든 스크램블, 버섯 스테이크, 쌀가루 팬케이크와 같은 비건 음식이었기 때문이었다. 평소 비건에 관심을 가지면서도 실행하기에는 부담을 느낀 우리에게 안성맞춤이었다. 길게 가지를 뻗은 나무 아래, 햇빛을 받아 반짝거리는 수영장을 바라보면서 태국의 신선한 과일과 식재료로 차려진 조식을 먹고 있으면 '이게 바로 행복이지' 하는 생각이 절로 들었다.

이런 루틴 중에서 우리가 가장 중요하게 생각한 것은 바로 카페에 있는 시간이었다. 카페에 있는 동안 친구는 SNS에 연재하고 있는 인스타툰을 그렸고, 나는 글을 썼다. 심적으로 힘들 때 나는 책을 읽으면서 위로를 받고 응원을 얻었다. 나도 사람들의 마음을 어루만져주는 글을 쓰고 싶다는 생각이 들었고, 작가라는 꿈을 품게 되었다. 그러나 회사에 다니면서 글을 쓰기란 쉬운 일이 아니었다. 글을 쓰겠다는 다짐은 번번이 실패로 돌아갔고, 나중에는 글 쓰는 미래를 막연하게 기약하는 것이 다였다. 그런데 정작 퇴사하고 시간이 생겼을 때도 나는 글 쓰는 것을 선택하기 주저했다. 어느새 작가가 되는 꿈은 비현실적인 것이 되어있었고, 나는 그런 것을 쫓기에 겁이 너무 많아져 있었다. 그런 나에게 미래에 대한 고민을 미루고 떠나온 치앙마이에서의 시간은 유예와도 같았다. 인생의 어떤 순간에도 멈추지 않고 달려온 내게 처음 있는 유예. 그런 시간이라면 내가 원하는 것을 해도 괜찮을 거라는 생각이 들었다.

치앙마이 카페에서 처음 글쓰기를 시작한 날, 나와 친구는 커피를 시키고 마시는 동안에 나누는 대화를 끝으로 각자의 작업에 집중했다. 노트북을 펴기만 하면 글이 써질 거라는 기대와 달리 처음 제대로 써보는 글은 마음 같지 않았다. 머릿속에 떠오르는 것을 글로 표현하는 것은 어려웠고, 더 적합한 어휘를 찾기 위한 고민은 끝이 없었다. 시간은 흘러가는데, 키보드에 올라간 손은 움직일 줄을 몰랐다. 자신의 할 일을 척척 해내는 친구를 보면서 나는 마음이 조급해져만 갔다. 그렇게 난생처음 겪는 창작의 고통에 한참을 괴로워하던 나는 지푸라기라도 잡는 심정으로 인터넷 창에 '글이 안 써질 때'를 검색해 보았다. 예상보다 훨씬 많은 글이 나왔는데, 내가 쓴 글이 아닌가 싶을 정도로 공감 가는 글도 있었다. 자신과 같은 고충을 겪는 이들에게 조금이라도 도움이 되길 바라며 남긴 정성스러운 글들은 심금을 울리기도 했다. 글들을 하나씩 정독하면서 신기한 것을 알아냈는데, 그 많은 글이 모두 같은 말을 하고 있다는 것이었다. '일단 뭐라도 쓸 것'. 말이 쉽다고 생각했지만, 다른 방법도 없었기에 밑져야 본전이라는 마음으로 한번 해보기로 했다. 30분이라는 시간을 정해놓고 무작정 글을 써보았는데 몇 시간 동안 한 글자도 써지지 않던 것이 마법이라도 부린 듯 술술 써지기 시작했다. 그 순간 너무 완벽하게 쓰려고 한 것이 오히려 독이었음을 깨달았다. 처음부터 완벽한 글을 쓰는 것은 불가능한데, 그것에만 매달려있어 진도를 나가지 못한 것이었다. 뭐라도 썼다는 것만으로 한 걸음 나아간 기분이 들었고, 그제야 식어있던 커피를 마셨다. 별 기대감 없이 마신 커피에서 뜻밖에 깊은 향이 느껴졌다. 회사에서 졸음을 쫓기 위해 마시던 쓰디쓴 커피가 이렇게 풍부한 향을 낼 수 있다는 것이 놀라웠다. 그날 나는 오랫동안 커피의 향을 음미했다.

관광을 다닐 때 우리는 주로 쇼핑몰이나 야시장 위주로 돌아다녔는데, 하루는 젊은 사람들 사이에서 관광명소로 유명하다는 '크렁매카'라는 곳에 가보기로 했다. 도착한 그곳은 작은 강을 사이에 두고 두 갈래로 나누어진 길가였다. 길의 양 가장자리에는 카페와 식당, 상점들이 자리 잡고 있었는데, 몇몇 상점은 조금 독특한 구조를 지니고 있었다. 거주하고 있는 주택 뒤편에 가판대를 놓고 물건을 파는 구조로, 그런 상인들에겐 집이 주거 공간이자 일터인 셈이었다. 판매하고 있는 물건들은 가지각색이었는데 특히 태국 특유의 섬세함이 돋보이는 수

공예품을 구경하는 재미가 있었다. 강 쪽으로 피어있는 아기자기한 들꽃도 볼 수 있었는데, 그 무해함에 기분이 절로 좋아지는 것 같았다. '크렁매카'는 노을 명소로 알려진 곳이기에 나와 친구는 노을이 지기를 기다리며 카페에서 이야기를 나누었다. 시간이 흘러 다시 길가로 나왔을 때 풍경이 많이 달라져 있었다. 길을 따라 설치된 조명에 빛이 들어왔고 해가 지면서 노을이 강을 물들이고 있었다. 한산했던 길가는 어느새 사람들로 북적이며 축제 분위기를 냈다. 해가 지고서야 비로소 활기를 띠는 마을이라니, 너무 낭만적이었다. 나는 문득 그날의 기억이 오래도록 남을 것 같다는 예감이 들었다. 더위를 식혀주던 시원한 맥주, 오랜 친구와 나누던 대화, 사람들의 웃음소리, 노을이 주는 분위기, 그 모든 순간을 잊지 못할 것이라고.

치앙마이에서의 생활이 익숙해질 때쯤 기억에 남을 특별한 경험이 필요하다고 느낀 우리는 전부터 해보고 싶었던 선셋 요가를 하기로 했다. 해가 지는 것을 바라보면서 하는 요가라니, 상상만으로도 가슴속 낭만에 불을 지피는 기분이었다. 요가 수업 장소로 '캄빌리지'를 선택했는데, 환상적인 경치로 유명한 곳이었다. 요가 원데이클래스 당일, 화창한 날씨조차 우리를 돕는 것 같았고 주체할 수 없이 설레는 마음을 안고 '캄빌리지'로 향했다. 사방이 나무에 둘러싸인 고풍스러운 목재 건축물이 모습을 드러냈고, 직원의 안내에 따라 3층의 야외공간에 들어선 우리는 눈앞에 펼쳐진 경관에 입을 다물지 못했다. 높게 뻗은 원목 기둥 사이로 하늘이 시원하게 펼쳐져 있었고, 색색의 기와 지붕과 푸르른 나무들이 다채로운 색을 더했다. 묵직한 웅장함을 지닌 사원과 그 위로 솟아오른 구름이 신비로운 분위기를 자아내고 있었다.

마치 하늘과 닿아있는 듯한 황홀함에 젖어있을 때 요가 수업을 진행하시는 선생님이 밝은 미소로 우리를 반겨주었다. 자신의 호흡에 집중하는 것으로 요가가 시작되었다. 나는 한국에서 요가학원에 다녔기에 나름의 요가 부심을 가지고 있었는데, 그날 그것이 얼마나 부질없는지를 깨달았다. 선생님에겐 가볍고 우아한 동작도 나는 숨을 헐떡이며 따라가기에 바빴고, 한그루의 뻣뻣한 대나무가 된 것 같은 기분을 느껴야만 했다. 그래도 열심히 따라 하다 보니 파랗던 하늘이 서서히 붉게 물들어 갔고, 선생님의 싱잉볼 연주와 함께 누워서 하는 명상인 사바아 사나가 이어졌다. 매트에 누워 숨을 고르는데 땀방울이 지나간 자리마다 시원한 바람이 느껴졌다. 고요 속에서 오직 진동처럼 편안한 싱잉볼 소리만이 울려 퍼졌고 나는 나의 호흡과 나 자신에게만 집중했다. 여행 중에도 여전히 머릿속을 어지럽히던 복잡한 생각들이 사라지면서 정신이 맑고 평온해졌다. 눈을 뜨자 하늘이 짙게 어두워지고 있었고 어둠이 쏟아지듯이 가까워졌다. 그 순간 이제껏 수 밤을 지새우게 했던 어둠이 더 이상 두렵지 않았다.

여행의 끝이 다가오던 어느 점심, 식당에 앉자마자 친구는 내게 한국에 돌아가서의 계획을 물었다. 그 순간 치앙마이에 있는 동안 둥둥 떠올라있던 나를 끌어내리는 것 같은 현실감각이 느껴졌고, 대답을 피하고 싶었다. 글 쓰는 것에 재미를 느끼고 있었지만 이제 겨우 첫발을 내디딘 것에 불과했고, 그것에 나의 모든 것을 쏟아붓기에는 여전히 자신이 없었다. 안정적인 생활을 포기해야 할 수도 있다는 것이 가장 큰 부담으로 다가왔다. 나는 머리로는 컴퓨터 학원, 편입, 취업 준비와 같은 현실적인 계획을 떠올리면서 아직은 잘 모르겠다는 말로 얼버무렸다. 친구는 미련을 남길 바에 직접 해보는 것이 낫지 않겠냐고 내가 계속 글을 썼으면 좋겠다고 말했다. 상상으로만 그리던 것과 직접 해보는 것에는 큰 차이가 있으니, 나에게 좋은 경험이 될 것이라고 했다. 나는 그 말을 이해했지만, 선뜻 답을 내리기가 어려웠다. 식당에서 먹은 음식들이 위장에 고스란히 얹히는 느낌이 들었고, 나는 결국 체하고 말았다.

그날 우리는 님만해민의 쇼핑몰을 오래 돌아다녔는데 평소보다 분위기가 묘하게 가라앉아 있었다. 나는 부담감으로 인해 마음이 불편해졌고, 친구 역시 그런 내 맘을 아는지 조심스러워했다. 날이 어두워지자 저녁을 먹으러 우리의 치앙마이 단골식당으로 이동했는데 그날이 연이은 3일째 방문이었다. 나와 친구는 하나에 꽂히면 그것만 파고드는 점이 비슷했고 그래서 잘 맞았다. 또 우리는 새로운 것보다 익숙한 것을 선호하는 점도 비슷했는데, 이번 여행지를 치앙마이로 결정한 것도 그런 성향 때문이었다. 우리의 단골식당은 백 가지가 넘는 메뉴가 있어 처음 방문 했을 때는 메뉴판을 보고 당혹감에 휩싸였지만,

이제는 능숙하게 새우 팟타이와 팟카파오무쌈을 주문했다. 음식이 나오기를 기다리면서 무심코 창밖을 내다보았는데 부슬비가 내리고 있었다. 우산을 챙기지 못했는데 우리가 식당에 들어오고 나서 비가 내리기 시작했다는 사실만으로 기분이 좋아졌다. 별거 아닌 일에도 쉽게 분위기가 풀린다는 것조차 우리다운 일이었다.

여전히 바깥을 바라보면서 비가 주는 운치를 즐기고 있을 때였다. 창문 너머로 기타를 멘 버스킹 가수의 모습이 보였는데 이상하게 낯이 익었다. 전날과 그 전날에도 같은 자리에서 기타를 치며 오래된 팝송을 부르던 분이었다. 심지어 그분의 기타 케이스에 돈을 넣고 지나오기도 했다. 30도의 더운 날씨에도 코트를 입고 공연을 하는 모습이 인상적이라 기억하고 있었다. 비가 오는데도 불구하고 열정적으로 노래를 부르는 그 모습에 나는 놀라는 동시에 어떻게 그런 열정을 가질 수 있는지 궁금했다. 버스킹 아저씨가 노래를 부르고 있는 곳에서 조금만 더 들어가면 우리가 구경했던 대형 쇼핑몰이 있고, 그곳에는 가수가 노래하는 공간이 따로 마련되어있었다. 그렇다는 것은 아저씨가 노래를 부르는 곳에는 사람들이 비교적 모이지 않는다는 뜻이기도 했다. 그런데도 아저씨는 우리가 지켜본 3일 동안 늘 같은 자리에서 노래를 부르고 있었고, 어쩌면 아주 오랫동안 그곳에서 노래를 불러왔는지도 모르는 일이었다. 그 아저씨에게 비가 오거나 사람들이 찾지 않는 곳이거나 하는 것들은 전혀 문제가 되지 않는 것 같았다. 그 모습을 보면서 시작해 보지도 않고 포기부터 하려 했던 자신이 부끄럽게 느껴졌다.

식사하면서도 나와 친구는 아저씨의 열정에 관해 이야기했고, 여운
이 쉽게 가시지 않았다. 그래서 식당에서 나오자마자 곧장 버스킹 장
소로 향했다. 비가 그쳤고, 아저씨는 여전히 그 자리에서 노래를 부르
고 있었다. 우리는 전날과 마찬가지로 아저씨의 기타 케이스에 지폐
를 넣었지만, 이번에는 그냥 지나가지 않고 멈추어 서서 아저씨의 노
래를 들었다. 누군가 듣고 있다는 것만으로 아저씨에게 응원이 되리
라는 마음에서였다. 노래가 끝나고 자리를 뜨려는데 아저씨가 우리를
향해 "예스터데이?"하고 물었다. 어제도 우리가 왔었다는 것을 기억
하고 계신 것 같았다. 우리가 고개를 끄덕이자, 아저씨가 고맙다며 미
소를 지었다. 그리고 멀어지는 동안에도 아저씨의 허스키한 목소리와
감미로운 기타 연주 소리가 들려왔다. 나는 오래도록 그 노래가 계속
되었으면 좋겠다고 생각했다.

한국으로 돌아오는 전날까지도 우리는 자주 가는 카페에서 작업을
했다. 나무 그림의 벽화로 인해 카페가 아닌 숲에 있는 것 같은 착각을
불러일으키는 곳이었다. 조용하고 쾌적한 환경이 노트북을 쓰기에 적
합해서 작업을 할 때마다 자주 이용했다. 여행에서 쓰기 시작한 단편
소설의 페이지가 채워져 가고 있었다. 글 쓰는 것은 변함없이 어려웠
지만 회사에 다닐 때는 느끼지 못한 보람을 느끼고 있었다. 나는 글이
막힐 때마다 내 맞은편에서 태블릿 안으로 들어갈 듯이 집중하고 있

는 친구의 모습을 지켜보았다. 이전 치앙마이 여행에서 처음으로 업로드했던 친구의 인스타툰은 어느새 30번째 회차를 넘어서고 있었다. 그동안 친구의 그림 실력은 상당히 늘었고, 응원하는 사람들도 많아졌다. 내가 친구를 질투하지 않은 것은 친구가 포기했던 것들을 알기 때문이었다. 친구는 회사에 다니면서도 없는 시간을 쪼개어 열심히 그림을 배우러 다녔다. 그것이 얼마나 어려운 일인지 나는 누구보다 잘 알고 있었다.

내게는 일을 하고 있다는 사실만으로 면죄부가 되던 시절이 있었다. 남는 시간을 의미 없이 보냈고, 다른 것들은 생각하지 않았다. 내가 하고 싶은 일, 나아가려는 방향, 내가 좋아하는 것. 그런 것들을 생각할수록 나만 괴로워질 뿐이라고 여겼다. 그저 지금의 삶에 안주하면서 살면 편하다고 스스로를 설득했다. 그렇게 지내다 보니 나는 내가 알던 나와 다른 사람이 되어있었다. 막연한 꿈을 꾸며 설레었던 나는 당장의 내일만 바라보며 사는 사람이 되어있었다. 그런데 내가 매일 똑같은 하루를 사는 사이 누군가는 열정을 불태우고 있었고, 누군가는 계획을 차근차근 실천하고 있었다. 비록 눈에 보이지 않는 족적이지만 그들은 그렇게 앞으로 나아가고 있었다. 그 사람들을 보면 내가 가야 할 길이 느껴졌다. 내 마음은 그렇게 한쪽으로 기울었다.

숙소로 돌아가는 길에 우리는 태국의 교통수단인 툭툭을 탔다. 툭툭은 오토바이를 택시로 만든 것 같은 모습을 하고 있다. 툭툭은 지붕을 제외한 양면이 개방되어 있는 구조로, 달리고 있으면 사방에서 강한 바람이 들어온다. 또 손잡이를 잡지 않으면 목숨의 위협을 느낄 정도의 스피드를 자랑하고, 같은 거리를 가도 택시보다 2배 가까이 비싸다. 한마디로 일반 택시에 비해 위험 요소가 많은 교통수단이다. 그러나 우리는 한 번씩 툭툭을 타는 것을 즐겼는데, 그것만의 매력이 있었기 때문이었다. 툭툭을 타고 있으면 온몸의 감각을 깨우는 듯한 시원함이 느껴졌다. 바람을 가르는 짜릿함과 아슬아슬한 스릴감이 모든 스트레스를 날려주었다. 안전하지 않아도 그 이상의 쾌감을 느꼈다. 그날 툭툭을 타고 돌아가면서 문득 삶도 비슷하다는 생각이 들었다. 남들이 가지 않는 길이라서, 안정적이지 않은 길이라서 오는 행복을 생각했다. 그거면 충분하지 않을까. 치앙마이의 밤공기가 더해져 피부에 닿는 바람이 더욱 시원하게 느껴졌다.

치앙마이에서의 7일이 지나고 어느새 마지막 날이 다가왔다. 밤 비행기를 기다리는 동안 카페에서 시간을 보내기로 하고 숙소를 나왔다. 캐리어를 끌고 카페까지 걸어가면서 우리는 어느새 익숙해진 길을 음미하듯 천천히 돌아보았다. 집채만 한 나무에 피어있는 샛노란 꽃봉오리, 이제는 벽화의 일부처럼 느껴지는 도마뱀들, 골목을 빠져나오면 보이는 강과 건너편에서 음식을 파는 부지런한 사람들, 도로 위 수많은 오토바이, 짙은 여름날의 정취와 파랗고 높은 하늘. 나는 눈을 감고도 떠올릴 수 있도록 치앙마이의 풍경들을 담아냈다. 도시 전체가 거대한 아지트가 된 기분을 느꼈다. 분명 그립겠지만 언제든 다시 올 수 있을 거라는 확신이 들었다. 그렇게 우리는 치앙마이에 잠시 작별을 고했다.

여행을 끝내고 한국으로 돌아온 우리를 맞이한 것은 이례적인 추위의 겨울이었다. 한파주의보와 대설주의보가 번갈아 내려왔고, 덕분에 치앙마이에서의 날들이 더욱 꿈처럼 아득하게 느껴졌다. 한국에 돌아온 지도 몇 달이 지났지만 내 생활은 치앙마이에서와 크게 달라진 것이 없었다. 나는 치앙마이에서처럼 매일 적은 시간이지만 꾸준히 글을 쓰고 있다. 이제야 글 쓰는 것이 미약하게나마 일상에 스며들고 있는 것을 느낀다. 그렇다고 마냥 좋기만 한 것은 아니다. 장소만 바뀌었을 뿐인데, 치앙마이에서와는 다른 무게감이 느껴진다. 마음이 쉽게 조급해지고 쉽게 불안해진다. 벌써부터 지쳐 쓰러진 미래를 생각하며 지레 겁먹기도 한다. 그럴 때면 나는 치앙마이에서의 추억들을 떠올린다. 평화롭던 그날들의 연장이라고 생각하면 어쩐지 마음이 편안해진다. 그곳에서 만났던 열정적인 사람들을 생각하면 나도 질 수 없다는 생각이 든다. 돌이켜보면 내가 치앙마이를 이토록 사랑하게 된 것은 그곳에 잃어버렸던 나의 모습이 있었기 때문인지도 모른다. 낭만과 여유를 추구하는 나, 별거 아닌 것에 좋아하고 감동받는 나, 마음 깊은 곳에 꿈을 품고 있는 나. 없어진 줄 알았던 나의 모습이 그곳에 있었고, 그래서 다시 꿈을 꿀 수 있었다. 앞으로는 다른 사람에게 맞추기보다 나에게 맞는 속도로 가보려고 한다. 도피처럼 떠났던 여행이 어느새 내 삶에 많은 영향을 주고 있었다.

거리 (Distance)

SY

SY   세상의 많은 이야기를 접하며 사람과 삶에 대해 성찰하는 것을 좋아한
     다. 이제는 소비하는 입장이 아니라 내가 바라보는 삶에 관해 이야기
     해 보고 싶다. 이렇게 한 걸음 내디딘다.

눈을 떴을 때 사방이 까만 우주였다. 발치에서 뻗어 나오는 우주선의 희미한 불빛이 보였다. 귀가 먹먹했다. 유일하게 모체와 연결되어 있는 연결선의 끊어진 한쪽 끝이 유성의 꼬리처럼 뒤따르며 우주선과 점점 멀어지고 있었다. 우주선의 일부 잔해가 주변에 흩어져 있었고, 본체는 한쪽이 폭파되어 중심을 잡지 못하고 회전하고 있었다. 얼마나 정신을 잃고 있었던 것일까? 머릿속에 안개가 낀 듯 모든 것이 불분명했다. 운석과 작은 충돌로 인해 엔진 보조 장치가 부서졌다는 것이 기억났다. 그것을 수리하기 위해 연결선 하나에 의지해서 바깥으로 나왔고, 작업 중 갑자기 폭발이 일어났다. 기억과 함께 시야가 조금씩 돌아올 때 오른쪽으로 무언가 보였다. 같이 작업하던 동료가 나와 평행을 이루며 두둥실 흘러가고 있었다. 아니 정확히는 멈춰 있었던 것인가? 상하좌우가 가늠이 안가는 상태였으니 무어라 말할 수는 없지만, 한순간 그가 죽어가는 것을 직감적으로 느꼈다. 그 순간 앞뒤 가리지 않고 이성이 멈췄다. 숨을 쉬고 있지만 공기가 폐 속에 닿지 않는 듯한 슬픔이 끝이 안 보이는 해일처럼 덮쳤다. 본능적으로 동료를

구하고자 그에게 닿으려고 애를 썼다. 하지만 아무리 손을 뻗어도 딱 10cm가 부족했다. 헬멧 유리에 띄어진 거리 측정 시스템 화면에 나타난 그 거리. 닿는다 한들 할 수 있는 건 없었다. 소중한 사람이 눈앞에서 죽어가는 것을 보며 아무것도 할 수 없는 무기력한 슬픔에 소리만 지를 뿐이었다. 하지만 주변은 음 소거 상태처럼 고요했다. 헬멧 안에서조차 정적에 갇혀 있었다.

안돼! 잠긴 목에서 모기만 한 소리만 겨우 새어 나왔다. 또 같은 꿈. 잊을 만하면 반복되는 꿈이었다. 식은땀을 흘리며 잠긴 목을 잡았다. 흘러내린 눈물을 마른세수하듯 닦아내며 천장을 바라봤다. 항상 닿지 않는 그 10cm, 그리고 상실감. 멍하니 누워있다가 핸드폰 알람 소리에 힐끗 시간을 봤다. 아침 일곱 시. 아무리 오래 누워있어도 잠을 깊이 잔 적이 없어, 항상 알람 시간보다 일찍 깨곤 했다. 피곤한 상태로 겨우 몸을 일으켜 두 발바닥으로 온기가 없는 바닥을 디뎠다. 정수기로 가서 미지근한 물 한 잔을 마실 때 밖에서 앰뷸런스 소리가 들려왔다. 또다시 일상의 시작이었다. 휴일 아침이라 게으름을 피워도 되지만, 습관적으로 책과 노트북을 챙겨서 카페로 향했다. 가볍게 들고나온 소설을 읽다가 잠시 내려놓고 창밖을 바라보고 있었다. "또 무슨 생각을 그리하는 중이야? 그만하고 시원하게 점심 먹으러 가자."며 민이가 다가오며 말했다. 그 아이가 이끈 곳은 근처의 샤부샤부 식당이었다. 한여름에 시원한 샤부샤부라니, 민이답다는 생각에 피식 웃음이 나왔다. 어린 시절부터 민이는 럭비공 같은 아이였다. 예상치 못한 곳으로 튀어 오르곤 했다. 모든 일에 이유가 있어야 했고, 자신이 이해할 때까지 계속 질문을 했다. 그런 모습이 어른들에게는 반항적인 모습으로 보이기도 했지만, 나는 그 모습이 좋았다. 독특한 자신만의 색으로 '민이'라는 독립적인 개체를 만들어가고 있다고 생각했기 때문이었다. 그 아이의 남다른 관찰력에 자주 엉뚱한 표현이나 질문을 받으면 말문이 막히기도 했지만, 그때는 그마저 신선했다. "물에 빠진 고기는 별로야, 이도 저도 아닌 느낌이야." 한참 육수에 익혀진 소고기를 꺼내 주는데 민이가 말했다. 그 말에 잠시 할 말을 잃고 멈칫했다. 샤부샤부 먹자고 한 사람이 누군데? 라는 말이 입 밖으로 나오기 전에 입안 가득 고기를 욱여넣고 고개를 끄덕였다. "그래 고기는 내가 다 먹으면 되겠네, 나야 고맙지."라고 바라보지 않고 대답했다. "나 결심했어, 다시 회사에 들어갈 거야." 한참의 침묵을 깨고 민이가 꺼낸 말에 이번에는 고개를 들고 그 아이를 바라봤다. 나와는 10살 터울인 막냇동생인 민이가 대학원을 졸업하고 잘 알려진 기업연구소에 입사했을 때 그 누구보다 자랑스러웠다. 하지만 민이성격에 사방이 막힌 실험실에서 매일 반복적인 업무와 이해하지 못한 비합리적인 지시를 따르는 건 쉽지 않았다. 보수적인 조직 생활에 숨이 막힌다는 말을 자주 했다. 얼마 지나지 않아 주변의 만류에도 불구하고 사업을 하겠다며 잘 포장된 길을 벗어날 때도 묵묵히 바라보고 있었다. 그런데 이젠 그동안 들인 시간과 노력을 접고, 다시 회사를 들어가겠다고 말했다.

　나에게 인생에서 가장 어려운 질문은 나중에 커서 뭐가 되고 싶은지, 꿈이 무엇인지 묻는 것이었다. 아직도 기억나는 순간은 유치원에서 선생님이 나눠준 종이에 꿈을 적어야 할 때였다. 다른 친구들은 질문을 받자마자 기다렸다는 듯이 적고 손을 들고 자랑스럽게 선언을 했다. 어쩜 그렇게 명확하게 자신이 되고 싶은 것을 말하는지 신기해하며 하얀 종이를 바라보고 있었다. 그 짧은 인생에서 한 번도 뭔가 되고 싶다는 생각을 해본 적 없이 그냥 하루하루를 재밌게 보내는 게 인생의 최대 목표였던 내겐 당황스러운 상황이었다. 하지만, 곧 그 당시 어른들이 좋아할 만한 가장 무난한 '직업'을 부랴부랴 적었다. 그때부터였을지 모른다, 내가 원하는 것을 생각하기 전에 주변에서 원하는 것을 선택하기 시작한 것이. 그렇게 색이 없는 사람이 되어갔다. 때가 되면 학생이었고, 그다음엔 안전한 울타리가 있는 회사원이었다. 당연히 결혼하고 부모가 되는 그런 레일이 깔린 길을 가는 게 내가 원하는 거로 생각했다. 하지만 도저히 그 이후의 레일을 따라가기에는 겁이 났다. 땀범벅에 헉헉대는 숨소리를 내며 힘겹게 한 걸음 한 걸음 옮기며 기약 없이 산을 오르는 것 같았다. 점점 발은 땅에 뿌리를 내린 듯 떨어지지 않았다. 주변의 동료, 선배들을 보니 모두가 같았다. 다만 나만큼 힘들어 보이지 않았다. 시간이 지나도 변하는 것은 없었다. 그래서 택한 방법은 처음으로 레일 밖으로 뛰쳐나가는 것이었다. 호기롭게 레일을 벗어났는데, 눈앞이 온통 노랗고, 푸르고, 검은 정글 한가운데란 걸 알아채는 데 그리 긴 시간이 필요하지 않았다. 처음에는 낯설지만 싱그런 자연에서 숨을 맘껏 들이마실 수 있었다. 하지만 밤이 되자 사방이 깜깜하고 정체 모를 짐승의 울음소리가 가득 찬 정글에서 생존을 위해 온 신경세포들을 깨우고 경계를 서야만 했다. 삶의 불편함이나 의미는 중요한 문제가 아니었다. 살아있어야만 했다.

그래서 다시 회사로 돌아갔고, 그게 10년 전이였다. 그래서 누구보다 동생의 마음을 잘 안다고 생각했다. 위로의 말과 현실적인 조언을 적절하게 해준다고 했지만, 민이에게는 부족했던 것 같았다. 언니의 말은 누구나 할 수 있는 구태의연한 말일 뿐이었다. 집으로 돌아가는 길, 구름 한 점 없이 파란 하늘이 눈에 들어왔다. '참 푸르렀구나'

최근에 구조조정이 있었다. 많은 사람이 권고사직을 당하거나 한직으로 밀려나며 어수선한 분위기에서 나 역시 직책이 변경되었다. 희귀하게 좌천이 아닌 승진이었다. 연봉인상 없는 허울좋은 직책 변경일 뿐이지만. - 회사에서는 그 어떤 일을 시켜도 불평불만 없이 묵묵히 자기 할 일을 하는 사람에게 책임과 일을 더 몰아주는 건 어쩌면 당연한 걸지도 모른다. - 그 덕분에 자신보다 어린 팀장이 못마땅하거나, 연봉 인상 없이 일만 많아졌다며 불만 가득한 팀원들과 함께 실적이 몇 년째 바닥인 사업부의 매출을 150% 성장을 시켜야 하는 상황에 놓였다. 감당하기 힘든 실적 목표에 고민이 많아지는데, 팀원들은 일을 할 의욕이 없었다. 사방이 막힌 방안에 물이 점점 차오르고 있는 듯했다. 수압에 몸이 눌려 깊은숨을 쉬지 못하고, 코밑까지 물이 차오른 상태로 가쁜 숨을 헐떡이며, 하루하루를 겨우 버텨내고 있었다. 모난 돌이 정 맞듯이, 이리저리 구르며 동그래지는 돌멩이처럼 동그랗게 변했다. 당당히 조직을 떠나 하고 싶은 일에 도전한다는 것은 이미 어린 시절의 치기일 뿐이었다. 큰소리 내지 않고 순응하고 적응하는 것이 가장 편했다. 민이를 생각하면 자신이 원하는 것과 주변에서 원하는 것 사이에서 고민하고 벽에 부딪히던 10년 전 내 모습이 떠올랐다.

"사업하는 사람의 고충을 알아?!"라며 술에 취해 한껏 목청을 올려도, 그저 "그래 어렵지. 그래서 대단한 거야. 넌 잘하고 있어."라고 위로를 했다. 불확실한 사업 사정에 불안할 때도, 뭔가 좋은 프로젝트가 생겨 기뻐할 때도 그저 옆에서 무미건조하게 들릴 수 있는 말을 하고 있을 뿐 어떤 조언이나 반대되는 생각을 말하지 못했다. 오히려 아무것도 모르면서 얘기하는 걸로 치부하거나, 세상에서 자기가 제일 힘든 길을 이겨내고 있다는 듯 이상적인 말로 나를 가르치려 하는 민이의 말을 들어줄 뿐이었다. 그러다가도 "나도 10년 뒤면 언니처럼 편안해질까?"라는 질문을 하면, "그럼 당연하지 10년 뒤엔 더 잘되어 있을 거야"라고 말해주곤 했다. 나 역시 끝이 없는 시시포스의 형벌을 받는 듯함에도 불구하고, 편안한 듯이 말했다. 어쩌면 진짜 시시포스가 되어 이 형벌 자체를 자연스러운 것으로 받아들인 걸지도 몰랐다. 인생은 멀리서 보면 희극, 가까이서 보면 비극이라는 찰리 채플린의 말과 같이 멀리서 보면 다들 자신보다 잘살고 있는 것처럼 보일 것이다. 하지만 적정거리를 지나 가까이 보면 각자의 고통이 드러나게 된다. 그런 고통을 공유하지 못해 사람들은 적정거리를 유지하며 각각의 섬에서 연결되지 못한 채 세상을 살아가는 것일지도 모른다. 가족이라고 다르지 않았다. 난 항상 탁 트인 우주공간에 혼자 갇혀 있었다. 민이 역시 그랬을 것이다. 우린 서로의 일상을 공유하며 꽤 친하게 지내는 자매였지만, 딱 거기까지였다. 등이 서로 붙은 샴쌍둥이처럼, 더 가까이 갈 수도, 더 멀리 갈 수도 없었다. 민이의 회사에서의 고충, 사업의 힘든 점에 대해 들을수록 그 감정이 날 힘들게 했다. 내 안의 호수에 계속 돌을 던져, 물결을 일으키고 있었다. 잔잔한 호수가 크게 일렁였다. 크게 일렁인 물결이 넘실거리며 점점 파도가 됐다. 호수의 경계는 더 이상 보이지 않고, 까만 사방으로 하얗게 부서지는 파도의 포말만이 덮쳐왔다.

"팀장님, 그래서 인원 보충은 언제 되는 겁니까? 이런 일까지 저희가 해야 하나요?" 날카롭게 날이 선 목소리들이 나를 다시 현실로 불러냈다. 회사에서는 현금흐름도 좋지 않아 어떻게든 불필요한 인원에 대해 감원을 단행하려 하는 중이었다. 팀원들은 그걸 아는지 모르는지 당장의 늘어난 업무량이 많다고 불평불만을 쏟아내고 있었다. 객관적으로 봤을 때 평균적으로 과한 업무량은 아니었지만, 기존에 하던 일에서 추가되는 일을 더 하기 싫은 것이었다. 하지만 그들에 대한 나의 불만은 내색하지 못하고, 묵묵히 듣고 설명을 해줬다. 다 힘든 상황인 거 아는데, 아직은 시기가 어려우니, 조금만 더 열심히 해서 실적을 맞추면 인원 보충을 요청할 수 있다는 말로 팀원들을 설득할 뿐이었다. 난 주어진 일을 묵묵히 해내서 성과를 먼저 보여주고 보상을 요청하는 편이지만, 팀원들은 보상을 먼저 줘야 일을 할 수 있다고 이야기하고 있었다. 그들은 나를 혼자 승진해서 불만이 없는 사람으로 바라보고 있었다. 칭찬도 계속 들으면 듣기 싫은데 불평불만을 계속 듣다 보니 나 또한 패배주의적 늪에 빠져버릴 것 같았다. 머릿속이 시끄러웠다. 신경이 잔뜩 날카로워진 상태에서 일단 사무실을 벗어나야 했다. 어디든 조용한 곳에서 일을 하고 싶었다. 마침 민이에게 저녁을 같이하자는 연락이 왔다. 아직 다 정리를 하지 못해 어수선한 그 아이의 사무실에서 만나서 각자 일을 하고 저녁을 하기로 했다. 예민해져 있는 내 상태를 간과했다. '타다닥 타닥', '딸깍 스슥' 키보드와 마우스 소리만 적막한 사무실에 울린다. '띠링' 새로운 메일 알림 소리. 밀려 들어오는 이메일에 이제 이력이 났다지만 새로운 제목과 수신처를 보며 또 무슨 일일까 불안해졌다. 아니나 다를까? 또 긴박한 일이 생겼다. 팀원 간 책임을 회피하며 지지부진 끌던 문제가 폭탄 돌리기 하듯 마지막으로 내게 넘어왔다. 더욱 꼬이고 심각해진 상황으로 터지기 직전이었다. 이렇게까지 일이 커질 때까지 내게 보고도 하지 않은 것에 화가 났다. 지끈거리는 두통에 잠시 눈을 감고 고개를 젖혔다. 후- 작게 한숨을 쉬었다. 옆에서 나의 작은 한숨을 듣는 민이의 기척이 느껴졌지만, 모르는 척했다. 스트레스를 받으면 입을 다무는 나와는 달리 민이는 자신의 스트레스 받는 상황을 말로 쏟아내서 풀곤 했다. 그렇기에 나의 침묵과 한숨은 민이의 신경을 건드리며, 같은 공간에서 각자 다른 의미의 긴장감을 만들고 있었다. 그날도 민이는 자신의 속상함을 풀어내기 위해 내게 연락을 한 것이었다. 하지만 다른 때와는 달리 내 에너지는 이미 바닥이고, 신경은 끊어지기 직전의 바이올린의 현과 같았다. "420호! 이번 달 관리비와 월세 세금계산서 말이야." 이번 달이면 정리될 사무실의 관리인이 불쑥 찾아왔다. 뭔가 협의가 잘 안된 건지 무례함이 거슬리지만 일리 있는 말을 하는 관리인과 평소와 달리 차분하게 대응하지 못하고 흥분해서 자기주장만 하는 민이의 옥신각신이 끝나지 않을 것 같았다. 각자의 세무사와 다시 확인해 보고 협의하는 것이 좋겠다며, 누구의 편도 들지 않은 중립적인 말로 흥분한 두 사람의 말을 멈추게 했다. 흥분한 상태의 열기가 사그라지지 않은 상태로 관리인은 돌아갔고, 우리 둘만 남은 그 공간은 저녁을 먹기 전까지 갑자기 끼얹어진 물에 흠뻑 젖은 솜처럼 무겁게 침묵으로 가라앉았다. 저녁 시간이 되었지만 누가 먼저 이야기를 꺼내지 않았다. 마지못해 나가기도 번거로우니 배달해서 먹자고 말한 건 나였다. 내게 식사는 맛이나 담음새보다는 배만 채우면 되는 것이었다. 반대로 민이에게는 맛과 담음새, 장소와 사람이 중요한 시간이었다. 그런 민이에게 대충, 아무거나 먹자고 하며 종류나 장소 결정을 떠넘기는 건 자신에게 관심을 주지 않는다는 신호로 느껴지기에 충분했다. 도착한 음식은 민이가 사무실 한편에 있는 테이블에 보기 좋게 진열했다. 전시되어 있는 음식을 조용히 바라보고 있는데 뜬금없이 민이가 말했다. "언니는 너무 이기적이야." 팽팽했던 현이 끊어지는 순간이었다. 그 말에 고개를 들어 민이를 바라보는데 세상이 일그러져 보였다. 그 시야에서 더 일그러진 원망 가득한 눈동자가 보였다. 낮에 관리인 아저씨와 언성을 높인 뒤 아무 반응이 없던 내게 향하는 질책이었다. 동시에 자신의 지친 하루를 위로받지 못한 화였다. 항상 단단해 보이던 민이를 지탱해 주는 것은 언니가 언제나 자신의 든든한 백이라는 믿음 때문이었다. 그렇기에 어떤 말과 행동에도 힘이 있었다. 그런 언니가 편을 들지 않고, 오히려 탓하는 듯 침묵을 지켰다는 것이 큰 배신처럼 느껴졌을 것이다. "그러는 너는 내가 아니라 온갖 짜증과 화를 받아줄 수 있는 아무나가 필요한 거 아니야?" '쨍그랑' 말이 끝나기도 전에 던져진 유리컵이 사무실 구석에서 깨졌다. 어느새 서있던 민이 손에 있던 잔은 보이지 않고, 터질 듯 붉어진 주먹이 떨고 있었다. "그만해, 나가줬으면 좋겠어." 서로 다른 생각으로 자기 말만 하는 답이 없는 상태였다. 그렇게 우린 서로를 앞에 두고 간격을 좁히지 못하고 있었다. 자매이자 단짝 친구였던 우리는 항상 같이 여행을 다니고 맛집을 찾아다니곤 했다. 내가 나중에 은퇴하면 복잡한 도시를 떠나 제주도에서 조용히 살아보고 싶다고 이야기했던 것을 민이가 기억해서 몇 년 전에 같이 제주도 여행을 갔었다. 계절마다 다른 풍경 속에서 걷고, 숨겨진 카페들을 찾아다니며 소소한 재미를 나눴었다. 그렇게 밝게 웃으며 재잘거리던 우리의 모습은 점점 희미해지면서 1년 전부터 서로 웃음을 잃어갔다. 사무실 건물을 나와 바라본 골목은 온통 짜증과 화로 쌓인 내 마음의 벽처럼 여기저기 칠이 벗겨진 회벽들로 이어졌다. 답답한 마음에 집에 바로 돌아가지 못하고 주변을 배회했다. 자정이 넘어 집에 돌아와서 민이에게 전화를 걸었지만, 받지 않았다. '후- 지쳤다.' 새벽 내내 여러 생각들이 꼬리에 꼬리를 물며 앙상한 가지들만 무성하게 자라 얽히고 있었다. 그 나무는 더 뚜렷하고 선명하게 뿌리를 내리며 굵어지고 있었다. 쩡한 검은 뿌리가 나의 심장을 움켜쥐고 잠식했다. 가느다란 햇빛이 조용히 날카롭게 눈을 찌르는 아침이 되자, 겨우 몸을 일으켜 세웠다. 무작정 밖으로 나와 한참을 걸었다. 푸르른 하늘에 솜사탕 같은 구름이 어우러져 있었다. 너무 포근해 보이는 저 구름 속엔 왠지 또 다른 세상이 숨겨져 있을 것만 같았다. 얼마 전 다시 읽은 '어린 왕자'가 떠올랐다. 읽을 때마다 다르게 다가오는 의미들이 있어 종종 다시 읽곤 하는 책이었다. 특히나 여우 장면을 좋아하는데 이번에는 그 까다로운 장미꽃에 마음이 갔다.

"그래요, 난 당신을 사랑해요. 당신은 그걸 알아차리지 못했던 거예요. 내 잘못이에요. 그런 건 아무래도 괜찮아요. 하지만 당신도 나만큼 바보였어요. 부디 행복해요…, 그 유리 덮개는 그냥 둬요. 이젠 필요 없어요. (중략) 당신은 멀리 있을 테고요, 커다란 짐승은 무섭지 않아요. 나한테는 손톱이 있으니까요." 그러면서 꽃은 천진하게 가시 네 개를 보여주었어요. (중략) 꽃은 우는 모습을 보이고 싶지 않았던 거예요. 그만큼 자존심이 강한 꽃이었어요 [1]

장미꽃이 보인 모습들은 애정의 다른 표현들이었다. 그 사실을 이별하고서야 알게 된 어린 왕자는 지구에서 다른 장미꽃들을 만나지만 자신에게는 자신이 보호하고 가꿨던 장미꽃이 가장 소중하다는 것을 알게 되어 별로 돌아가기로 결심했다. 하지만 끝내 별로 돌아가지 못하고 저 몽글몽글한 구름 속 세상에서 지구에서 만난 양과 함께 또 다른 삶을 살고 있다는 상상을 해봤다. 가끔 장미꽃 꿈을 꾸며 양과 함께 편안한 낮잠을 자고 있기를 바랐다. 문득 정면의 회색 톤의 두 건물이 시선에 들어왔다. 두 건물 사이에 딱 50cm나 될까, 힐끔 봐도 1m는 되지 않는 간격이 있었다. 그 간격 사이로도 예의 그 푸른 하늘과 상상의 어린 왕자 구름이 보였다. 마주한 두 건물의 벽면은 언제나 서로의 그늘만을 바라보며, 옆으로 위로 펼쳐져 있는 저 포근한 구름과 눈부시게 푸른 하늘을 보지 못했다. 너무 가까워도 문제구나 싶었다. 적당

---

1 앙투안 드 생텍쥐페리 저, 최복현 역, 책이 있는 마을 2002 P.74, 76

한 거리가 필요한 건물들, 그리고 우리들.

그 후로 민이는 집에 들어오지 않았다. 내가 없는 사이에 집에 들러, 필요한 물건들을 챙겨 나간 뒤 사무실에서 지내는 듯했다. 텅 빈 거실과 방을 바라보면 우리가 지내던 모습들이 곳곳에 잔상으로 아른거렸다. 어차피 새로운 회사로 들어가게 되면 집에서 거리가 있어서 자취방을 얻을 계획이었다. 민이의 빈자리를 보다가 생각을 환기하기 위해 텔레비전을 틀었다. 뉴스 아나운서의 말이 의미 없이 배경에 깔리고 있었다. 저녁 시간이 다 되었지만 별로 배가 고프지 않았다. 대신 심한 갈증을 느껴 물을 한 잔 따르는 중에 등 뒤로 어느 지역의 화재 소식이 생방송으로 전해졌다. 뉴스에서 심심치 않게 나오는 화재 소식이지만 이번에는 이상하게 좀 더 관심이 갔다. 이리저리 정신없는 사람들의 모습이 가득한 텔레비전 화면을 응시하던 중에 눈에 익은 건물과 주변 상호들을 발견했다. 민이의 사무실이 있는 건물이었다. 사이렌 소리가 기자의 등 뒤 멀리서 들려왔다.

계속 받지 않는 전화벨 소리에 초조하게 타들어 가는 속은 아랑곳하지 않고 퇴근 시간과 맞물려 차는 앞으로 나아가지 못했다. 뉴스에서는 여러 이유로 불길을 진압하지 못하고 있다고 소식을 전하고 있었다. 그사이에도 불길은 기다려주지 않고 모든 장소를 빨갛고 까만 연기로 뒤덮으며 재로 만들고 있었다. 민이에게 자신의 사무실은 젊음과 꿈이 응집되어 있는 곳이었다. 장소, 그 이상의 의미가 있는 곳을 지키기 위해 자기 몸을 돌보지 않을 게 눈에 선명하게 그려졌다. 한참 만에 화재 현장에 도착해 사람들 사이를 헤치며 동생을 찾아 헤맸다.

건물 입주민들이 발을 동동거리며 모여 있는 곳에도, 불길 속에서 구출되어 나오는 사람들 사이에도 민이는 없었다. 순간 누군가가 내 어깨를 잡고 휙 돌렸다. 붉어진 눈시울의 관리인이 넋이 나간 채 내 앞에 있었다. 그의 표정을 바라봤을 때 순간 숨과 함께 주변이 모두 멈추는 듯했다. 중력이 없어졌다가 다시 묵직하게 돌아오며 숨과 함께 주변 소음이 뱉어져 나왔다. 5시 30분에 420호와 사무실에서 만나기로 했는데 자기가 조금 늦었다고, 그래서 자기는 여기 있는데 어떡하냐는 갈라진 그의 목소리가 주변 소음과 함께 뭉쳐져 머리를 울렸다. 구출자 명단에 없다면, 아직 민이는 저 안에 있다는 얘기였다. 이미 시간이 많이 지난 시점에서 사람이 얼마나 연기 속에서 버틸 수 있을지 몰랐다. 또다시 무기력하게 내가 할 수 있는 일은 소리를 지르는 것이었고, 그 외침은 주변 소음에 금방 묻혔다. 망연자실 불을 바라보고 있을 때였다. 두둑, 두둑, 두두두두두두. 한두 방울 얼굴에 떨어진 굵은 빗방울이 빈틈없이 빼곡하게 쏟아져 내렸다. 이만하면 됐다는 듯, 아무 일 없다는 듯이 모두의 얼굴을 씻어냈다.

어느새 목을 움츠리게 하는 찬 바람이 부는 계절이었다. 하얗게 나오는 입김으로 숨 쉬고 있음을 확인하는 일상만이 계속 이어지고 있었다. 집으로 들어가는 길에 우편함을 보니, 관리비 내는 날도 아닌데 우편물이 들어있었다. 여느 때와 다름없이 광고용 우편물이겠지 싶어 꺼낸 우편물 겉봉투에 익숙한 글씨체가 눈에 들어왔다. 순간, 짓눌리는 듯한 가슴 통증과 함께 숨이 쉬어지지 않았다. 왼쪽 눈 옆이 깨질 듯이 아파지며 심장이 머리를 때리는 듯했다. 급히 약을 먹고 마음이 진정될 때까지 기다렸다가 편지를 읽었다. 작년 이맘때쯤 점점 웃음을 잃어가던 민이는 혼자 제주도 여행을 갔었다. 여행에서 돌아온 민이는 제주도 숙소에서 1년 느린 우체통이 있어서 내게 편지를 썼다는 말을 해줬지만 잊고 있었다. 그 편지가 약속을 지켜, 봄, 여름, 가을을 지나 내 손에 도착한 거였다. 여전히 우리이길 바란다는 동생의 마지막 문장에서 눈앞이 흐려졌다. 민이의 장례식에서도 울지 않았다. 부모님을 챙기고, 마지막 정리를 하면서 애도의 시간을 갖지 못했다. 그동안 억눌렸던 슬픔이 그 한 문장에 의해 쏟아져 나왔다. 그 자리에서 무너지듯 주저앉아 숨을 토해내듯 큰 소리로 울었다. 아슬아슬하게 잡고 버티던 줄에서 떨어지듯 끝없이 추락했다. 영원히 지속될 것처럼 사방은 고요하며, 어두웠다. 겨울잠을 자듯 내리 잠만 자는 날이 이어졌다. '언니는 너무 이기적이야, 내가 어떨지 생각해 보기는 했어?' 민이의 호통에 놀래 잠에서 깨어났다. 꿈속에서 민이는 모습은 드러내지 않고 천둥 같은 목소리로 날 깨웠다. 전에는 원망을 잔뜩 담겨있던 목소리가 이번에는 언제까지 그러고 있을 거냐는 걱정을 담고 있었다. 심장이 가느다랗게 콩콩콩콩 빠르게 뛰는데 몸은 움직이지 않고, 눈만 깜박일 뿐이었다. '만약 나와 민이의 운명이 바뀌었다면, 나는 바다로 침잠하는 민이를 보며 어땠을까 생각했다.

착륙 준비를 알리는 방송이 나오고 있었다. 안전벨트를 다시 하고, 의자 등받이를 바로 세웠다. 차창 밖으로는 다행히 눈은 오지 않고 회색 구름만 가득했다. 이 겨울에 왜 제주도에 가냐며 주변에서 만류했다. 날씨가 좋지 않아 여행이나 제대로 하겠냐? 혹은 제때 돌아오긴

하는 거냐는 걱정하는 말만 잔뜩 들었지만, 묵묵히 일정을 잡고 제주도로 향했다. 항공권과 렌터카를 예약하고, 민이가 머물렀던 호텔을 예약한 것이 여행 준비의 전부였다. 제주공항에 도착해서 렌터카 셔틀을 타기 위해 출구를 나서며, 날카로운 바람 한 가운데로 들어갔다. 자동차 키를 넘겨받으며 산간 지역은 운행하지 말라는 주의를 들었다. 일기예보 상 이번 주는 눈이 많이 올 텐데, 산간 지역은 위험하다고 했다. 제주시에는 아직 눈이 내리지 않고 하늘만 잔뜩 흐렸다. 하지만 서귀포시로 넘어가는 길인 1100고지에 다다르기 전에 눈이 내리기 시작했다. 분명 저 눈송이들은 떨어지고 있는데, 마치 정지화면처럼 차창 넘어 가득 채우고 있었다. 세상과 닿지 못하게 단절시키는 것처럼 눈송이들이 모든 소리와 시간을 빨아들이며 몸집을 키우고 있었다. 그렇게 영원할 것만 같던 눈발은 언제 그랬냐는 듯이 서귀포에 다다를 즈음엔 잦아들기 시작했다. 심지어 멀리 맑게 갠 파란 하늘과 함께 윤슬로 가득 찬 바다가 내려다보였다. 사진으로만 본다면 따뜻한 봄날의 풍경이었다. 변화무쌍한 날씨는 마지막 날까지 이어졌다. 하루는 눈이 펑펑 쏟아지고, 다음날은 햇빛이 들었다. 아무래도 좋았다, 눈이 오면 눈을 맞으며 사려니숲길과 어승생악을 걸었다. 아무도 밟지 않은 눈은 발목이 깊이 빠질 정도로 쌓여 있었다. 하얀 눈이 가득 덮인 검은 나무들이 길을 잃지 않게 이정표처럼 서있었다. 뽀득거리는 발걸음 소리와 숨소리만이 조용한 세상을 가득 채우고 있었다. 햇살이 비치는 날이면 낡은 귤 창고를 개조한 카페에서 사각의 창을 통해 귤 밭을 바라봤다. 내부는 따뜻한 난로와 함께 평화로웠다. 하지만 창밖의 격렬한 나무들의 움직임과 슬레이트 지붕의 덜컹거리는 소리에 바깥의 거센 바람을 느낄 수 있었다. 변덕을 부리는 자연 앞에서 민이는 어떤 의지를 다짐했을지 가늠해 봤다. 따뜻한 난로 옆의 삶과 거센 바람이 부는 창고 밖 삶 중 어떤 것을 선택했을 지 나로선 몰랐다. 어떤 마음이었든, 여전히 우리이길 바란다며 내게 1년 뒤에 전해질 편지를 쓰고 있었을 것이다. 그 장소에서, 같은 풍경을 보며 그 아이에게 비록 우리의 거리는 멀어졌더라도 묵묵히 존재하겠다는 답장을 쓰고 있었다. 비록 1년의 간격은 있었지만 우리는 다시 같은 장소를 공유했고, 언제 전해질지 모르는 편지로 연결된 거 같았다. 민이는 어딘가에 여전히 있다고 생각하니, 상실감이 희미해졌다. 앞으로 내가 할 수 있는 일은 주어진 하루를 평온하게 보내는 것이다. 우주를 떠도는 삶의 궤적에서 완벽한 평행은 없다. 교차점을 지날 뿐 영원히 같이할 수는 없다. 모든 사람은 각각의 궤도를 돌며 어떤 형태로든 존재할 뿐이다.

-끝-

정신의 숲

김정헌

김정헌   중경삼림의 663과 페이를 좋아해 몇 번이고 돌려봤다. 도시의 빌딩 숲에서 쉬어갈 나무 하나를 찾고 싶었다. '나'와 정신의 이야기를 쓰다 보니 내가 정신이고 정신이 나였다. 어느 날은 숲이 되고 싶다가 또 어느 날은 바다가 되고 싶다. 부치지 않은 편지를 이 글로 대신한다.

인스타그램: @zizonsquirrel

일상으로의 초대

　그날 정신을 만난 건 내 인생의 첫 번째 행운(幸運)이었다. 본래 외로움과 행복은 연기 같은 것이라 그런 척 살아가는 수밖에 없다고 믿었다. 매일 똑같은 하루를 살아갈 마음이 대체 어디서 나오는지 아무나 잡고 묻고 싶었다. 이 지긋지긋한 삶을 어떻게 견디느냐고. 각별한 추억 없이 학창 시절을 보내고 미대를 졸업하기까지 나의 생활은 빈틈없이 따분했다. 졸업이라는 마침표를 찍어도 현실에 행복한 결말 같은 건 없었다. 또다른 내일이 있을 뿐이었다.

　10대, 내면에서 뒤죽박죽 많은 사고가 일어날 때. 그런데 들어줄 사람이 없을 때, 내가 할 수 있는 건 방을 치우는 일이었다. 너저분하게 늘어진 물건들은 내 모습을 보는 것 같아 견디기 힘들었다. 외출하기 전에는 반드시 돌아오지 않을 사람처럼 방을 정돈했다. 아무에게도 나의 어지러운 처소를 들키고 싶지 않다는 강박에서 비롯한 습관이었다. 꿈 없이 책가방을 메던 나는 꿈쩍 않고 앉아있는 것 하나 자신 있어서 그림을 그렸다. 입시를 위해선 남이 제시하는 것만 그리면 됐다. 내로라하는 대학의 회화과에 합격했다. 첫 수업에서 들었던 '그리고 싶은 걸 그려보라'는 말이 4년 내내 뇌리를 떠나냈다. 내가 진정 그리고 싶은 건 없었다. 애당초 나에게 그림에 대한 열의란 없었다는 걸 깨달았을 때, 출구 없는 지옥에서 헤매는 느낌이었다. 내게 다시 그림은 없었다.

나는 평생 한 줄의 일기도 쓰지 못했다. 새하얀 공책을 펼쳐 펜을 들자니 나의 행복하지 않은 날을 남겨놓는 게 자랑스럽지 않았다. 잡히는 도구로 대강 자른 머리카락, 식도를 할퀴는 벤조디아제핀, 아무도 살지 않는 듯 텅 비어 숨죽은 방은 일기에 기록할 만한 것이 되지 못했다. 그렇게 일 년이 지나도 일기를 쓸만한 날은 오지 않았다. 나는 영영 일기를 쓸 마음을 접어두었다. 그런 나에게 정신은 내일 무얼 할지, 모레 어디를 갈지 물었다. 그때마다 나는 잠시 고민하는 시늉을 하고 잘 모르겠다고 말했다. 그런데도 매번 묻는 것을 보면 정신은 나의 대답에 개의치 않는 눈치였다. 정신은 물에 풀지 않은 물감 같았다. 무색무취의 나를 물들여 진짜 나로 바꿔놓은 건 바로 정신이었다. 어깨를 무겁게 짓누르는 걱정도 정신에게 털어놓으면 대수롭지 않아졌다. 정신이 지켜봐 준다면 나는 뭐든 해낼 수 있을 것 같았다.

그 애를 처음 만난 건 저녁뜸의 바닷가였다. 무작정 탄 버스에서 더 이상 살고 싶지 않은 이유를 100가지쯤 생각했다. 반나절 만에 도착한 바다에서 '1000번째 파도가 치면 죽어버릴까' 하는 상상에 침잠하고 있을 때였다. 털썩 주저앉아 있던 내 앞에 그 애는 까만 잔스포츠

백팩과 신발주머니 같은 초록색 나일론 가방을 메고, 모래사장의 시작부터 끝까지 거리라도 재듯 또박또박 걸어 다녔다. 그 모습이 파도 바람에 풀잎이 검실대는 것 같았다. 나와 같은 이방인임이 분명했으나 혼자인데도 외로워 보이지 않았다. 수도를 벗어나 본 적이 손에 꼽을 정도였던 나에게 그 애는 하얀 파도와 더불어 낯선 미지의 세계 자체였다. 형용하지 못한 감각이 나를 건져 일으켰다. 나는 그 애가 여기에 온 이유를 묻기로 마음먹고 셔츠에 뒤엉킨 잿빛 모래를 털었다.

"죽으러 왔는데요."

귀에 반쯤 걸친 헤드셋에서는 신해철의 '일상으로의 초대'가 흘러나왔다.

"농담이에요. 살려고 왔어요."

그러곤 웃었다. 동그란 눈이 더 땡그랗게 빛이 났다. 나는 속을 들킨 것 같은 초조감을 추스르려 따라 웃었다. 밴드를 보러 왔다고 했다. 그 밴드는 대체 어떤 사람들이길래. 호기심을 자아내는 도입부였다. 나는 그 애의 이름이 궁금했지만, 그 애가 말해줄 때까지 기다렸다. 나는 그 애가 나와 버스로 열 정거장 떨어진 동네에 산다는 것과 공항에서 비행기를 타고 이곳에 왔다는 걸 알게 됐다. 뒷장이 배기도록 꾹꾹 눌러쓴 일기 같은 음악이 바로 그 밴드를 좋아하는 이유라고 했다. 공연이 끝나고 열릴 뒤풀이의 식순을 듣다가 문득 머리가 멍해졌다. 나는 이렇게 마음을 다해 누군가를 아껴본 적이 있었던가? 손에 쥔 조개껍질이 반짝였다. 그 애는 시릴 만큼 눈부셨다. 얼마의 망설임과 수고를 이겨내고 무언가를 좋아하는 마음이 근사해 보였다. 그래서 나는 정신을 좋아하기로 했다.

그 후로 우리는 열 개의 정거장 사이에서 매일 만났다. 정신은 나와 달리 용감하고 씩씩했다. 또한 명쾌했다. 정신의 말은 너무나 뚜렷해서 중간이 없었다. 실없는 말장난 아니면 200퍼센트 진담이었으므로 나는 항상 귀담을 수밖에 없었다. 미래형 문장이 튀어나올 때면 나는 언젠가 꼭 그 말이 사실이 될 것 같아 종이에 받아적고 싶은 심정이었다. 정신은 여름을 반소매, 겨울을 패딩이라고 불렀는데, 어느 추운 날 한바탕 폭설로 뒤덮인 마을을 탐험할 계획을 들려주었다. 정신이 해주는 시시콜콜한 이야기부터 내밀한 고민까지 다 열심히 들었다. 나는 누구에게도 그만치 나를 털어놓은 적이 없었기에 정신은 내게 한동안 신비한 존재였다. 나는 마치 정신의 일기장이 된 것 같았다.

정신은 경복궁과 가까운 한복 대여점에서 아르바이트를 했다. 그곳을 찾는 이들은 대부분 외국인 관광객이었는데, 정신은 여행자들의 들뜬 미소를 보면 덩달아 여행하는 기분이 든다고 했다. 정신이 다림질한 한복을 입고, 정신이 땋아준 머리를 하고 나가는 사람들의 얼굴에는 두근거림이 가득했다.

"Have fun!"

마지막으로 매무새를 고쳐주고 배웅을 하는 정신에게 사람들은 각자의 언어로 한껏 고마움을 표시했다. 정신이 아르바이트를 마치면 우리는 서촌을 걸었다. 여름날 완두빛으로 가득한 나무 아래를 걷고, 청계천에 앉아 두 발이 다 빠져들도록 물 흐르는 소리를 들었다. 가을에는 산턱을 디딘 도서관 벤치에 누워 햇살을 맞았다. 겨울에는 소파가 꺼진 허름한 카페에서 파르페를 나누어 먹었다. 다시 온 봄에, 매화가 흐드러진 창덕궁 돌담길에서 찾은 네잎클로버는 꺾지 않고 놓아주었다. 하늘을 항해하는 구름과 공중을 도는 꽃잎이 우리의 이야깃거리가 되었다.

우리가 가는 곳마다 정신은 작은 필름 카메라를 손목에 걸고 사진을 찍었다. 카메라에 담기는 게 쑥스러운 나를 붙잡고 이런저런 포즈를 시키고, 마음에 드는 구도가 나올 때까지 플래시를 터뜨리기도 했다. 카메라가 포착하지 못한 찰나의 순간은 우리의 눈에 담았다. 라이카 렌즈 안의 나는 카메라 너머 정신을 보며 화창하게 웃고 있었다. 언젠가 이 순간의 기억으로 살아갈 내가 보였다. 버릴 때를 놓친 영수증의 글자처럼 날아가고 없어진 어제들에 웃지도 울지도 못했던 나에게 정신은 행복을 기록하는 법을 가르쳐주었다.

정신의 방에는 작은 숲이 있었다. 벽지와 이불, 카펫, 커튼, 구형 아이맥이 올라간 동그라미 테이블, 마지막으로 재생한 바이닐의 커버와 손바닥만 한 머그잔까지 전부 초록색이었다. 수천 년째 마을을 수호하는 느티나무 같은 긴 조명이 방 가운데서 초록빛을 냈다. 머리맡에 붙여둔 갱지에는 한 독립운동가의 시가 쓰여 있었다.

〈밤〉

송몽규

고요히 침전된 어둠
만지울 듯 무거웁고
밤은 바다보다도 깊구나
홀로 밤 헤아리은 이 맘은
험한 산길을 걷고 —
— 나의 꿈은 밤보다도 깊어
호수군한 물소리를 뒤로
머얼리 별을 쳐다 쉬파람 분다

정신을 따라 부엌 위 다락에 올랐다. 누군가의 청춘이었을 옛 시디
와 엘피가 가득했다. 한때 좋아했던 것들은 어렴풋이 떠나가고 잊혀
진다. 그럼에도 어떤 순간은 시가 되고, 노래가 되어 저장된다. 정신
은 소중한 시간을 간직하고 싶어서 음악을 모은다고 했다. 나는 겨우
내 섭취할 양식을 모아 땅에 묻는 다람쥐를 떠올렸다. 다람쥐가 숨겨
두고 깜빡해 버린 열매에 싹이 자라 숲은 풍성해진다. 정신의 방에선
아득한 나무 향이 났다.

그날 밤에는 수많은 락밴드의 역사가 지나갔다. 나는 정신의 세계
를 설명하는 도슨트를 보는 듯했다. 이제껏 정신의 몇 번의 사랑과 이
별은 드럼이 대리해 주었고, 부지런한 베이시스트가 정신의 새벽과

아침을 교대해 주었으며, 블랙 사바스가, 라디오헤드가, 오아시스가, 비틀즈가, 블러가, 며칠은 정신을 대신해 살아주었다.

정신은 좋아하는 게 많았지만 자기 자신한테는 너그럽지 않았다. 자주 악몽을 꾸는 자신을 자책했다. 36.5도. 나는 정신이 딱 체온만큼만 스스로에게 따뜻해지기를 바랐다. 잠옷을 갈아입은 정신은 물 한 컵에 레몬을 짜 들이켰다. 그러고는 세상과 단절하는 의식을 하는 마냥 네 겹의 이불 속으로 들어가 누웠다. 나는 어떤 소음도 잠든 정신을 깨우지 말았으면 했다. 조용히 커튼을 치고 소파 위에 얽힌 빨래를 갠 뒤 그곳을 나왔다. 정신에게 못다 한 말은 다음 날 하기로 하고 마음에 적어두었다.

"네가 좋아해 주는 것들만큼 너를 좋아해도 돼. 너는 너를 더 사랑해도 돼."

들어올 때 보았던 화분의 녹색 잎이 그새 더 자란 것 같았다.

파라코드

　단발 같기도 긴 머리 같기도 한 정신의 머리카락과 구슬 같은 미소. 나는 정신의 모든 것이 좋았다. 가끔 이유 없이 우울한 정신과 종종 나를 바보라고 부르는 정신을 온전히 이해하는 건 불가능했다. 하지만 좋아한다는 건 그 어떤 것보다 강해서 다른 것들을 사소하게 만들었다. 나는 알지 못하는 정신의 어린 시절 이야기, 정신이 요즘 느낀 감정, 작금의 관심사 하나하나 기억하고 싶었다. 그래서 나는 정신과 만날 때마다 함께 본 영화표에, 책자의 빈칸과 폴라로이드 뒷면에, 그날의 정신을 그렸다. 그마저도 없으면 식당의 작은 냅킨 조각에 우리의 오늘을 새겨넣었다.

　정신이 좋아하는 밴드가 온다는 소식에 찾아간 대학 축제였다. 그 인디 밴드는 시의 구절처럼 제목이 긴 노래를 불렀다. 우리는 목청껏 따라 부르고 손을 흔들었다. 나는 방에 돌아와 오래도록 손타지 않았던 선반의 맨 아래 칸을 열어 스케치북을 꺼냈다. 공원에서 토끼를 보다 막차를 놓쳤던 날에는 우리에게 말을 건네는 하얀 산토끼와 신난 정신의 모습을 그렸다. 비어있던 스케치북의 모든 페이지는 정신으로 채워졌다. 거기에는 반소매 카디건을 입은 정신도 있었고, 털모자에 목도리를 두른 정신도 있었다. 정신의 생일날 나는 정신의 스케치를 모아 건넸다. 스케치북을 받아 든 정신은 초록이게 웃었다. 내가 정신을 발견했던 그날처럼. 정신과 함께 있으면 나는 행운(行雲)에 매달려 비행하는 기분이었다.

어느덧 열 개의 점은 하나의 선으로 이어져 정신과 나를 연결하는 통로가 되었다. 그 선의 가운데 다섯 번째 정류장에는 고풍의 한약방이 있었다. '도토리 한약방'. 먹으로 쓴 듯한 간판과 다갈색의 목제 가구 틈으로 들어가면 90년대 홍콩영화가 재현됐다. 약재가 빼곡한 서랍장이 벽을 이루었고, 서랍장과 분리된 공간에는 붉은 망토를 걸친 금붕어가 커다란 어항 안을 유영하고 있었다. 한약방은 주인아저씨의 화양연화였다. 우리는 그를 허준이라고 불렀다. 허준은 우리와 가장 잘 통하는 어른이자 친구였다. 사람들에게 저마다 딱 들어맞는 약을 제조하기 위해 골몰하는 뒷모습은 숲의 정원사 같았다.

"한약방에 나는 알싸한 약초 냄새 있잖아. 당귀 향하고 비슷해. 당귀는 '마땅히 돌아온다'라는 말뜻인데 한약재치고는 심오한 이름이지?"

정신은 아저씨가 들려주는 이야기를 모으면 시집이 될 거라고 했다. 나는 아저씨가 아직 돌아오지 않은 무얼 기다리는지 궁금했다. 한약방의 허준이 내려주는 찻잔에는 쌉싸름한 도토리 내음이 돌았다.

친구에는 다양한 군상이 있다. 나는 정신에게 친구보다 가깝고 연인보다 다정한 사람이고 싶었지만, 정신과 나의 관계를 설명해 줄 낱말은 없었다. 굳이 정의하고 싶지도 않았다. 정신은 언젠가 드라마 작가가 되고 싶어 했는데, 자신이 쓸 드라마에 내 이름을 딴 인물을 만들겠다고 했다. 그때 우리는 작가와 열혈청시자가 되겠지. 나는 그걸로 되었다고 생각했다. 나중에 듣기로, 우리가 처음 마주쳤을 때 정신은 자신을 향해 추궁하듯 날아오는 질문들에 지쳐 있었다고 했다. 새로운 사람을 만나고 이름을 말한 다음 귀에 꽂힐 질문은 예상을 빗나가지 않았다. 나이는, 사는 곳은 어디며, 대학은 어디니, 거기에서 무얼 배웠니, 장래 희망이 뭐니 하는 것들. 바닷가에서 작은 일탈을 즐기고 있던 정신에게 대뜸 여기에 왜 왔느냐는 물음은 나름 새뜻했을 것이다. 대답하고 싶은 말을 물어준 사람은 오랜만이라 반가웠다고 했다. 나는 정신이 무슨 말을 꺼내도, 무슨 선택을 해도 첨언하지 않고 그냥 들어줄 사람 한 명쯤 있어도 될 것 같았다. 그리고 그게 나여서 좋았다.

정신은 한 달에 한 번 패러글라이딩을 간다고 했다. 내가 정신을 만났을 때는 정신이 그 월례 행사를 시작한 지 벌써 일 년째였다. 마음껏 발을 구르고 먼발치의 지표면을 내려다보면, 진드기처럼 달라붙은 불순물이 떨어져 나가는 기분이라고 했다. 처음 정신에게 그 이야기를 들었을 때는 호기심에 되물으며 웃었고, 일곱 번째 들었을 때는 목이 메고 눈물이 났다. 나의 쓸모없는 상상력이 혹시 모를 걱정을 물고 왔기 때문이었다. 남들의 흔한 버킷리스트를 한 번 했으면 됐지 자꾸만 죽는 시늉을 해야 되느냐고. 정신이 누구보다 삶의 의지가 강하다는 것을 알고 있었으면서도 나는 못마땅한 투정을 삼켰다. 정신은 나의 볼멘 얼굴에 자신을 걱정하는 마음을 읽었는지 말없이 웃었다. 나는 내가 정신에게 바라는 대답은 듣지 못할 걸 예감했다.

정신을 알고 난 뒤로 점점 웃는 날보다 우는 날이 많아졌다. 나를 눈물짓게 하는 것은 미워하는 마음이 아니라 좋아하는 마음이었다. 정신을 생각하는 마음이 진해질수록 하루아침에 정신이 사라지면 어떡하나 하는 따위의 불안감도 짙어졌다. 그래서 나는 정신을 조금만 좋아하기로 했으나, 누군가를 좋아하는 마음은 고장난 라디오 같은 것이어서 내 멋대로 끄지도 켜지도 못했다.

정류장에 내려 시디플레이어를 꺼냈다. 정신이 선물해 준 노랑 시디를 넣고 이어폰을 꽂았다. 날아오르는 새들의 찬가였다. 음악이 세 번 반복되고 끝나갈 즘 정신과 만나기로 한 펍에 다다랐다. 매장 안을 경쾌하게 울리는 메인스트림 재즈와 익숙한 얼굴의 바텐더가 나를 반겼다. 모든 게 평소와 같았다. 여느 때처럼 정신은 체리를 꽂은 미도리 사워를, 나는 버번위스키가 들어간 올드 패션드를 주문할 것이다. 칵테일이 완성되면 나는 '정신 체리'라는 정신의 똑같은 말장난에 또 웃을 것이다. 약속 시간보다 일찍 도착해 정신에게 전할 말을 정리했다. 나에겐 정신과 함께한 시간이 온통 행복이었다고. 그다음엔 마음껏 울고 웃게 해주어서 고맙다는 말을 덧붙이고, 내가 바라는 하나는 앞으로 나의 곁에 정신이 계속 있어 주었으면 하는 것이라고. 그리고 정신이 개척할 인생 한자리에도 내가 있었으면 했다. 언젠가 한 달에 한 번, 아니 일 년에 한 번 보는 사이가 되어도 정신은 나에게 여전할 테니.

어느덧 정신이 오려면 반 시간이 남아 있었다. 높은 층고를 장식하는 하얀 새들의 모형이 난비했다. 자유로움을 표현한 설계자의 의도였으리라. 그러나 그날 나는 새들과 함께 커다란 새장에 갇혀버린 것 같았다. 창살에 가로막혀 나아가지 못하고 박제된 상태로, 그렇게 어른이 되지 못한 채로. 나는 와인글라스의 라임이 수면 아래로 가라앉는 것을 보았다. 즐비한 테이블과 좌석 사이로 사람들의 말소리가 지나다녔다. 오는 길을 잃었나? 바위에 걸려 넘어진 걸까? 아니면 전날 패러글라이딩을 떠난 절벽에서 돌아오는 길이 길어졌을까. 맞은편 일행이 자리를 잡았다 떠날 때까지, 그리고 자정이 될 때까지 정신은 오지 않았다.

툭.
구름에서 손목으로 이어진 파라코드의 매듭이 끊어지는 듯한 날이었다.

나의 친애하는 바보에게

"내일에서 만나요."

오늘의 방송을 마치는 디제이의 목소리가 들렸다. 일상은 지루하고 괴로웠다. 내가 유일하게 좋아했던 정신은 지금 어디인지조차 알지 못했다. 나는 다시금 혼자가 됐다. 정신의 주변인들은 한결같이 정신을 아끼고 걱정했지만, 나만큼 정신을 잘 아는 사람은 없었다. 노래는 과거에 갇힌 목소리 같아 더 외로웠다. 방에는 라디오 소리만 맴돌았다. 초침 소리를 견디지 못해 시계는 떼어버린 지 오래였다. 탁자에 나직한 시계는 작은 심장이 그쳐 과거에 머물러 있었다. 시간의 흐름은 암막을 뚫고 들어오는 소음의 정도로만 가늠할 수 있었다. 바쁜 구두, 막 걸음마를 뗀 듯한 불규칙한 잰걸음, 낙엽을 쓰는 빗자루 소리에 아침인 걸 알았다. 분주한 일과에 기진한 짧은 한숨, 함께할 저녁 식사를 고르는 통화 음성이 스치고 나면 밤의 도래를 알 수 있었다. 나는 소리 없이 뒷걸음쳤다.

나는 실로했다. 정신과 헤어지고 난 후로 나는 하루도 나아가지 못했다. 인서트가 눌린 채 의미 없는 스페이스 바를 두드리는 것처럼 나는 지워져만 갔다. 숨을 쉴수록 더 흐려지는 것 같았다. 중력을 이기지 못하고 우두커니 앉아있었다. 바닥에 붙어 팔을 뻗었다. 가까스로 닿은 물체를 집어 텔레비전을 켰다. 화면 귀퉁이 떠 있는 글자에 채널을 멈추었다. 'Live'. 방 안에 숨이 붙은 건 나뿐이었다. 불현듯 아가미로 쉬지 않고 공기 방울을 뿜어내던 금붕어가 떠올랐다. 살아 움직이는

것이 필요했다. 두 눈으로 생명을 보고 내가 살아 있다는 걸 확인하고
싶었다. 말라버린 물감처럼 굳은 몸을 일으켰다. 바닥과 멀어지니 머
리가 지끈거렸다. 불 꺼진 현관 앞에 뭉거져 앉아 한참을 방황한 끝에
신발을 찾아 신었다.

　한약방으로 향했다. 오랫동안 부재중이다가 유령처럼 나타난 나를
염려하는 눈길을 뒤로하고 어항을 살폈다. 물속을 유유히 떠다니는
지느러미를 보았다. 유연하지만 완벽하게 균형 잡힌 움직임에 위엄
이 차 있었다. 안도의 숨을 쉬었다. 그리고 살아내기만 하면 된다고 낮
게 되뇌었다. 금붕어가 가리키는 곳에 정신의 일기장이 있었다.

x월 x일
조개껍질은 녹슬지 않는다.
천성이 어진 이는 어떤 나쁜 것에도 물들지 않는다.
조개껍질을 줍다가 바보를 만났다.

x월 x일
설날 아침 일일 알바를 했다. 우리는 한복을 입었다.
입히기만 하던 한복을 직접 입어본 건 처음이었다.
나는 외국인에게 한국의 민속을 해설하고 바보는 시민들의 초상화를
그려주었다.
사람들은 서로 복을 주고받았다.
그리는 법은 다 잊었다고 자신 없어 하던 바보는 금세 마주 앉은 사람들

의 즐거운 얼굴을 그렸다.

내가 본 최고로 바보 같은 장면이었다.

x월 x일

테이블에 한참 고개를 묻고 연필을 기울이더니 만족한 얼굴로 종이조각을 내밀었다.

이렇게 오래도록 나를 바라보고 그림을 그려준 사람은 처음이었다.

어떤 사진보다도 마음에 들었다.

x월 x일

두 손 가득 짐을 든 사람들 속에 합류해 여행했다.

우리가 대화하기에 버스는 너무 빨라서 10분이면 도착할 거리를 두 시간을 걸었다.

x월 x일

토끼의 언어를 배우고 싶다.

x월 x일

그림 그리는 걸 보는 게 좋아서 매일 다른 옷을 입고 새로운 곳을 간다.

나를 그저 돌아다니기 좋아하는 사람이라고 생각할지도 모르겠다.

그래도 괜찮다. 같이 가고 싶은 사람이 있다는 건 생각보다 재미있다.

x월 x일

晨 새벽 신.

내 이름에는 새벽이 있는데 나는 새벽이 무섭다.

나만 두고 다 잠든 적막이 싫다.

　그렇게 일기는 멈춰있었다. 차마 덮지 못한 마지막 장에는 날짜도 수신인의 이름도 적히지 않은 편지가 있었다.

　<나의 친애하는 바보에게>

　이 글은 바보라는 애칭에 담긴 따뜻함과 더불어 바보들의 심심한 쓸모에 대한 회고의 시도이다. 바보들은 친구 같고 동료 같기도 하다. 이들이 나와 같은 시대를 살고 있다는 사실은 큰 위로가 된다. 우주의 광활함을 다룬 코스모스 다큐멘터리를 보고 난 직후엔 이들과의 인연이 꽤나 소중해진다.

　바보들은 대단하다. 권태와 무력에 취약한 나에게는 더욱 그렇다. 반복을 이기고 묵묵히 나아가는 것은 이들의 특기이다. 이들은 집중력과 끈기를 발휘해 한나절이 지나도록 발명에 몰두할 때가 있다. 일상의 작은 행복부터 위대한 혁신까지 모두 바보들의 창조물이다. 이들의 상상력은 지루함을 깨부수고 타인의 세계를 넓혀주곤 한다. 게다가 이들의 창조는 가시거리가 퍽 길어 같은 시공간에 있지 않아도 닿을 수 있었고, 메아리는 더 또렷했다.

바보들이 고집하는 삶에는 낭만이 있었다. 이들은 찻집에 가면 꼭 쌍화차에 보름달의 축소판 같은 노른자를 띄웠다. 그리고 오래됐지만 낡지 않은 노래를 불렀다. 그 노래들은 낭만이라는 글자와 닮아 하나 같이 원의 모양이었다. 나는 그것들을 더 오래 곁에 붙잡아 두고파 나의 방 안에 동그란 시디를 모으고, 동그란 엘피로 벽을 쌓았다. 축음기 위에 시인의 말을 띄우고 멍하니 별을 세면, 그때는 온전히 혼자가 되어 마음껏 방랑할 수 있었다.

나는 바보들의 울창함을 선망했다. 이들은 나를 더 나은 사람이 되기로 마음먹게 했다. 이들의 농담은 나를 웃게 하고 악몽에 맞설 용기를 주었다. 그들은 꿈을 지킬 줄 알았으므로 바보는 용기 있는 자의 표식이다. 그러나 안타깝게도 바보들은 자기가 바보라는 것을 모른다. 가끔 힘에 부쳐 자신 없는 소리를 하기도 한다. 때때로 이들의 말은 생각에서 출발해 몇 회의 정제 과정을 거치므로, 이들의 내막과 진정한 속내를 알고자 한다면 '왜'로 시작하는 질문을 수어 개는 던져야만 한다.

나를 살린 바보 중에 내 마음 한 켠에 앉은 바보가 있다. 좋아한다는 것은 더 깊이 좋아지는 게 아니라 미운 것이 하나둘 없어져 가는 거라고 한다. 웬만한 귀찮음과 번거로움 따위는 내 마음이 이겨낸단다. 고조곤히 나를 들어준 당신을 애정을 담은 최고의 호칭으로 부르고 싶다. 나는 우리가 함께 외로워하며 살아가도 괜찮을 것 같다고 생각해 본다.

그러니까
진짜 내가 하려던 말은,

오늘 네가 깊은 잠에 든다면 좋겠다.

그리고 잠에서 깨면 지난밤 좋은 꿈이 너의 영감이 되고

그 아무리 사소한 것들에도 기대하는 마음을 절대 잃지 않고.

그리고

우리 만나면 시시한 이야기로 시간을 보내고

이유 없이 세 번 더 웃고 끼니 두 번쯤 꼭 챙기고

커피 한 모금에 바보 같은 생각도 한번 하기를.

녹음과 파랑

정신은 쉬이 잠들지 못하는 밤이 있었다. 잠을 청하려 누우면 천장이 숨통을 눌렀다. 불행한 후회들이 턱 끝까지 스멀스멀 차올라 정신의 머릿속을 진탕 헝클어 놓았다. 이따금 소나기가 내리는 밤에는 숲에서 발신된 전화가 왔다. 정신이었다. 정적을 견디지 못하는 사람처럼 재잘대다가 정신은 울었다. 나는 정신을 울리는 어둠이 원망스러웠다. 정신은 뜬금없는 말로 보챌 때도 있었다. "그냥 네가 내 옆에 같이 있었으면 좋겠는 거야."라며 맨정신에 하지 않을 말을 하기도 했다. "넌 진짜 바보다."라는 말도 빼놓지 않았다. 그러면 나는 자꾸만 내려앉는 심장을 잡고, 잠자코 듣는 수밖에 없었다. 담백하게 털어내는 정신의 음성은 민들레처럼 가뿐했다. 나는 전화를 끊으면 자고 있을 정신의 말을 끙끙 짊어지고 잠자리에 들었다. 다음날 정신은 잠결에 나눈 대화를 기억하지 못했다. 나는 그게 정신의 불면증 때문이라는 걸 알았다. 각인된 정신의 말마디가 떠올라 가슴이 저렸다. 바보라고 부르는 목소리가 그리웠다.

정신의 일기장이 놓인 곳에는 한 뼘 됨직한 종이 상자가 있었다. 상자 안에 내가 그린 정신의 조각들이 층층이 포개어 있었다. 정신의 카메라 속에는 내가 많았는데, 나에게 정신의 사진은 두어 장뿐이었다. 나는 그릴 수 있는 가장 선명한 그림을 그리기로 했다. 그게 내가 울창해지기 위한 방법이었다.

나는 '녹음(綠陰)'이라는 화실을 차렸다. 우거진 수풀은 온전한 나의 공간이었다. 화실의 가장 구석진 자리에는 작업공간을 두었다. 캔버스, 연필, 수채화 물감과 붓, 팔레트, 오일파스텔. 각종 미술도구가 놓인 언저리에는 가벽을 두었다. 그 왼편에 미처 쓰임을 정하지 않고 비워둔 자리가 있었다. 복작복작한 화실에서 그곳만은 공백으로 남기고 싶었다.

화실에서는 취미 미술반을 운영했다. 소규모로 시작했던 세 개의 반이 어언 열댓 명을 훌쩍 넘었다. 어린이들의 그림은 무럭무럭 자랐다. 가지각색 물감처럼 미술실 어린이들의 명도와 채도는 다 달랐다. 월수금의 어린이들이 매주 들고 오는 새로운 화제는 화실을 환기시켜 주었다.

오전에는 화실을 청소하고 다음 수업을 구상했다. 오후에는 작업을 하거나 재료를 사러 갔다. 틈틈이 다른 화가의 미술전을 관람하기도 하고, 청년 화가들과 머리를 맞대고 더 큰 그림을 도모하기도 했다. 금붕어를 보는 것도 잊지 않았다. 허준과 나는 함께 밥을 먹으며 런던의 하이드 파크에 있는 정신을 상상했다. 우리는 정신이 어디에 있든 행복할 것이라고 장담했고, 그러기를 진심으로 바랐다.

장기 적설 상태로 인해 지표면에 녹지 않고 있는 눈을 묵은눈이라고 한다. 전국에 대설주의보를 알리는 뉴스가 끊이지 않았다. 파란 눈꽃이 지던 날이었다. 정신과 내가 처음 마주한 바다를 그리고 싶었다. 나는 정신의 발자국을 따라 밟았다. 바다는 의연했다. 바다에게 정신의 안부를 물었다. 정신이 떠난 이유를 바다는 알고 있는 것 같았다. 흙냄새가 났다. 고지대에서는 모든 세포가 도움닫기를 했다. 도약과

동시에 심장이 요동했다. 나는 파라슈트와 함께 기류에 올랐다. 숲을 날자 해안가에서는 보이지 않던 정원이 있었다. 발아래 묵은눈이 사라지는 것을 보았다. 지상에 도달했을 때 눈은 그쳐 있었다. 나는 미룬 숙제를 해치운 듯 시원했다. 개운한 걸음으로 돌아왔다. 그리고 녹음(綠陰)에서 파랑(波浪)을 그렸다. 해가 저물고 있었다.

Epilogue

해가 뜨는 시간에 맞춰 화실로 향한다. 청색의 작업용 앞치마를 두르면 나는 화가가 된다. 창문을 열고 커피를 내린다. 이른 아침의 공기가 청명하다. 창문 너머 버드나무를 지나는 참새들이 바쁘게 지저귄다. 아직 흩어지지 않은 새벽빛이 투명한 모빌을 돌며 나풀댄다. 월요일의 어린이가 두고 간 작품이다. 한 손에 커피를 들고 맴도는 노래를 따라 흥얼거린다. 아무래도 좋은 날이다. 어제도 오늘도 그리고 내일도. 아무렴, 더할 나위 없이 좋을 것이다.

전시회가 보름 앞이다. 물을 주제로 지역 화가들과 공동으로 개최하는 전시다. 마지막 출품작을 마무리하기로 한다. 나무가 빽빽한 숲 속에 정원이 있고, 숲의 끝에는 바다가 있다. 나무는 불을 피우고 물에 뜨는 속성이 있다. 나무처럼 쓸모 있는 사람이 되고 싶다. 목요일이다. 수업이 없는 날이니 점심 무렵까지 마음놓고 작업실에 틀어박힐 셈이다. 바다를 칠할 물감을 고르다가 저녁에는 수영을 가기로 한다. 화판을 받쳐두고 이젤 앞에 서는데, 유난히 해사한 발소리가 골목길을 돌아 조금씩 근접해 온다. 잠시 서성이다가 화실 앞에 멈추어 선다. 찾아올 이가 없는 시간이다. 방문객을 알리는 오로벨 소리가 소란스럽게 부서진다. 나는 고개를 돌려 문을 향한 시선 그대로 얼어버린다. 5월은 문틈으로 단번에 들어온다.

여백이 채워지는 순간이다. 비로소 나는 작은 화실의 의미를 깨닫는다. 언젠가 모험을 마치고 돌아올 정신에게 내어줄 숨 고를 자리. 나의 온 힘을 다해 내보내고 있는 수신호 같은 것이었다. 나는 무언가 좋아하는 눈빛을 안다. 정신은 또 무언가를 잔뜩 좋아하고 돌아온 게 틀림없다. 이번엔 어떤 게 너를 살렸니. 얼마나 멋진 공상을 했니. 새로 어떤 식물들을 키웠으며, 그간 너를 재워준 노래는 어떤 것들이었니. 듣고 싶은 게 많다. 그리고 이번엔 내가 해줄 이야기도 있다. 내일이 두려워 매일 작별 인사를 하던 내가 이듬해 하고 싶은 일을 늘어놓고, 새로 그리고 싶은 것이 여럿 생겼다고 말이다.

앞코가 부드럽게 빛을 반사하는 검정색 로퍼. 발등에 덧대어진 가죽 스트랩 위로 단정한 로고가 반질거린다. 사랑은 유리 같은 것이라고 했던가. 유리보다 반짝이는 두 눈이 나를 찾아 웃는다. 고요히 마음을 읽는 것처럼. 아무 인사도 건네지 못하고 나는 그 하얀 미소를 따라 그냥 웃는다. 사랑이라고 말하는 것처럼.

행복한 시간의 공간으로

채민

채민   항상 행복을 추구하는 사람. 누군가에게 긍정적인 에너지를 나눌 때 가장 즐거워한다. 평범한 특별함을 쫓으며, 체코어를 전공했지만 심리학과 철학을 좋아한다. 하늘과 구름 그리고 별을 보면서 생각하는 것을 좋아한다. 새로운 시도를 즐기며 생각이 많고 그 생각들을 남기고 싶을 때 글을 쓴다.

인스타그램: @alsldia

유독 매미소리가 시원하게 들리던, 코로나가 극성이던 한 여름날 밤이었다. 그날은 뭐랄까 다른 날과는 좀 달랐다. 피부에 느껴지는 싱그러운 바람, 온도, 습기. 모든 것이 완벽했던 그날 밤, 어쩌면 나는 평생의 행복을 얻었다. 평소처럼 밤 산책을 하다 집으로 돌아오던 밤길, 발걸음을 문득 멈추고 말 했다. "아 나는 뭘 해도 평생 행복할 수는 있겠다"라고. 그때의 기억은, 그 깨달음은, 전구 이모티콘에서 반짝이는 빛이 들어오는 그런 느낌이었달까.

학창 시절에 나는 내가 하고 싶은 것을 반드시 해야만 하는 학생이었다. 그러면서 즐거운게 좋고, 좋은게 즐거운 그런 사람이었다. 무엇을 하고 싶은지는 확실하게 모르겠지만, 같은 마음이 있다면 항상 행복하고 싶었다. 세상에 모든 것들을 다 경험해 보고 싶었고, 사람들이 즐기는 모든 것들을 나도 즐기고 싶었다. 그때는 그게 곧 행복이라고 생각했다.

돌이켜보면 이상한 생각이지만 그때는 이 세상에 내가 싫어하는 건 없어야 한다고 생각했다. 한번은 친구가 밀크티 캔 음료를 굉장히 맛있게 먹는 것을 보고 바로 매점으로 가서 따라 샀다. 예상외로 너무 맛이 없었던 그 음료가 맛이 없게 느껴지는 게 싫었다. 왜냐하면 세상에서 내가 싫은 건 없어야 하고 그게 곧 불행이니. 그래서 그런 나를 바꾸기 위해 그날 이후 매일 그 음료를 사 먹으면서 내 입맛을 바꿨다. 그리고 지금 그 음료는 참 웃기게도 내 최애 음료가 되었다. 지금 생각하면 참 미련하면서도 어이없는 일이 아닐 수가 없다. 그때의 난 웃기지만 행복을 위해 싫은 것을 없애는 노력을 했다. 그렇게 어렸을 때는 모든 것들을 경험하며 좋은 것들을 그냥 '내 것'으로 만들려고 살았다. 그게 곧 나에게 행복이 될 테니까. 이렇게 모든 것들이 즐거운 사람이 될 때쯤이면 나는 어른이 될 거고, 어른이 된다면 모든 것들을 할 수 있게 되어 행복한 내가 될 거라고 이유 없이 막연하게 생각했다.

그러나 당연하게도 나이가 많아질수록 싫은 것도 많아졌고, 모든 것들이 전부 즐거울 수만은 없었다. 그렇게 점점 '행복'에 의문이 생겼고 그 실체를 찾지 못한 채 어른이라는 나이가 되었다. 스무 살이 되던 해, 나는 기숙 재수학원에 가기로 마음먹었다. 기숙 학원을 한마디로 표현하자면 '공부하는 감옥' 같았다. 모두가 같은 원복을 입고, 외출, 외부와의 연락도 단절되고 전자기기나 책 읽기와 같은 간단한 취미 생활 또한 할 수 없었다. 정말 '공부'만 할 수 있게끔 돕는 공간이었지만 한편으로는 정말 답답하고 우울한 공간이기도 했다.

그래도 단 한 가지 마음의 의지가 되는 부분이 있다면, 나와 비슷한 상황의 친구들이 있고, 고등학교 시절과 마찬가지로 같이 공부하고, 밥을 먹고, 운동장 산책을 하며 같이 이겨내 보자는 대화를 나눌 수 있다는 점이었다. 그곳에서 사귄 친구들은 지금까지도 연락을 나눌 만큼 좋은 친구들이었지만, 단 하나 내가 불편함을 느끼는 점이 있었다. 바로 '밥 먹는 것'. 다들 입이 짧고, 편식이 심해서 밥을 먹을 때마다 밥이나 반찬에 대해 불평을 했다. 처음에는 그런가 보다 했지만, 매일 아침, 점심, 저녁 세 번씩 듣다 보니 항상 마음이 너무 불편했다. 나는 너무 맛있는데……이 세상에 싫어하는 건 없어야 한다고 생각했던, 그리고 편식 하지 않는 나에게는 그런 불평불만이 스트레스로 다가왔다.

공부 빼고 할 수 있는 게 아무것도 없다 보니, 이런 스트레스를 도대체 어떻게 풀어야 할지 몰랐다. 마음이 힐링 되는 영상을 볼 수도, 책을 읽을 수도, 당사자인 친구들에게 말 할 수도 없었다. 그렇게 점점 스트레스가 누적되면서 '나는 왜 이런 것에 스트레스를 느끼는가'와 같은 생각을 하게 되었고, 이 일을 계기로 잠깐 쉬는 시간에는 '나를 돌아보는 생각'을 하게 되었다. 그리고 이러한 생각을 정리하기 위해 나는 하루의 마지막에 일기를 쓰는 나름의 취미를 만들었다. 그렇게 처음으로 투명한 나와 마주 보는 시간을 가졌다.

재수학원에서의 생활은 당연하게도 '행복'과는 거리가 있는 삶이었다. 그렇지만 나는 그 안에서 또 나만의 행복, 그곳에서는 나만의 멘탈 버팀목을 찾아갔다. 이 또한 모든 사람이 경험할 수 없는 나름의 경험이라고 생각했다. 그리고 나와 마주할 때면 내가 이곳에 있으므로 인해서 행복한 이유를 끊임없이 생각했다. 맛있는 밥이나, 좋은 선생님, 좋은 면학 분위기 등등 좋은 부분도 많았기 때문에, 그리고 스스로 대화할 수 있어졌기에 그곳에서의 삶도 나름 행복해져 갔다. 그때는 딱 그 정도로만 나와 대화를 나눴다. 내가 이곳에서 행복한 이유에 대해 묻고 답하는 그런 대화. 이 대화 덕분에 1년 동안 힘들었지만 나름 즐겁게 공부하고 그 안에서의 생활을 해낼 수 있었다고 생각한다. 그 시기 덕분에 나는 나와 대화 나누는 방법을 배웠다.

그리고 나와 대화를 나누는 일은 바쁘고 좋은 상황보다는 오히려 힘든 상황에서 일어난다는 점을 알게 되었다. 내가 좋을 때는 좋기 때문에 나와 대화를 나눌 이유가 많이 없었다. 좋은 기분을 누리는 그 상태로만 더 행복하기 때문이다. 그러나 힘들 때는 이 힘든 상황을 벗어나야 하고, 힘든 이유를 찾고 그것을 타파하기 위한 방법을 모색하기 위해 나와의 대화가 필요하다는 점을 알았다. 그리고 앞으로 힘들거나 고민거리가 생긴다면 주저하지 않고 나와 대화를 나누겠다고 다짐했다.

재수 생활을 마치고 대학에 입학 후 정신없는 1학년 생활이 지나가고, 이제 좀 적응하려나 싶을 때 불행하게도 코로나가 터졌다. 다들 혼란스럽고 정신없는 시기가 지나가고 온라인 수업과 격리하는 따분한 생활이 반복되며 매너리즘이 올 때쯤, 나는 다시 한번 나와 제대로 마주하는 시간을 가졌다. 그리고 그때는 나의 '인생'과 '진짜 내가 원하는 바'에 대해 대화하기 시작했다.

돌아보면 내가 태어나서 기억할 때쯤에는 가족이 있었고, 학교에 갔고, 학교에서 공부하니까 했고 그러다 보니 어느새 어른이라는 나이가 되어버렸다. 자연스럽게 어른이 되면 뭐가 될 줄 알았다. 뭘 해야 하고 어른으로서 자라나가야 할 방향을 알게 될거라고 막연히 생각했지만 나는 그대로 나였고 내가 아직 왜 사는지, 그리고 행복이 뭔지 모르는 나였을 뿐이었다. 분명 어른들은 학교에서 공부만 열심히 하면 된다고 했지만, 대학에 입학하는 것뿐이었고 사실 스무 살이 넘어서 아무것도 되는 건 없었다. 조금 더 좋은 것들을 가질 수 있는 환경은 주어졌지만 그래서 어떻게 행복해지는지 알게 될 수는 당연히 없었다. 어쩌면 어른들도 모르는 게 아니었을까. 그들도 멀리 보면 인생의 한 부분에 서있는 점일 뿐이고 한 번도 완주해 본 적 없는 레이스를 조금 더 앞서 달리고 있는 것일 뿐이니까. 그리고 이제는 진짜 궁금해졌다. 나는 왜 사는 걸까? 무엇으로 살아가야 하는가. 진짜 나의 행복은 뭘까? 그제야 나에게 진지한 첫 물음을 건넸다.

코로나 때문에 대학 생활을 다른 사람들과 어울려 지내기보다 혼자 보내는 시간이 많아질수록 점점 더 답답해졌고, 내 미래와 진로 문제에서도 점점 고민이 늘어가기 시작했다. 살면서 '왜 사는가?'라는 질문을 묻고 답한 적이 있을까. 카페에서 많은 사람들이 이런 주제로 대화하기엔 어쩌면 너무 지루하고 답이 없는 문제일 것이고 나 또한 없었다. 막연하게 삶의 이유를 묻는다면, 날것 그대로의 대답은 태어났기 때문이겠지만, 정말 살아가는 목적을 누군가가 나에게 묻는다면 할 말이 없었다. 그러나 눈이 아침에 떠지니까. 하루를 살아내야 하니까와 같은 원초적인 답을 내고 싶지 않았다.

자유경제시장에서 우리는 무엇을 갖는데 경쟁하며 평생을 쏟아붓는다. 그렇게 얻어낸 좋은 대학을 나와 좋은 집, 좋은 차 명예와 부 그게 곧 행복인 것처럼 포장되어 보인다. 그러나 이것들을 다 갖춘 것처럼 보이는 사람들을 들여다보면 전부 다 행복해 보이지는 않았다. 이런 것들이 곧 행복으로 치환된다면 그들은 모두 다 행복해야 하는 게 맞는데 인터넷 속의 뉴스만 보아도 그것이 정답이 아니라는 것쯤은 쉽게 알았다. 세상에는 나보다 좋은 것을 가진 사람이 정말 많고, 나보다 똑똑한 사람도, 나보다 유능한 사람도 정말 많았기에 그게 기준이라면 난 행복을 논할 수 없을 것 같았다. 스스로 가진 것보다 더 많이 가진 사람이 보이면 분명 스스로 가진 것이 충분해도 보이지 않게 되고, 갖지 못한 것이 아쉽고, 불행해지게 되는 것은 분명한 사실이었다.

이러한 생각들로 답답함과 고민이 늘어 갈수록 나에게 계속 질문을 던졌다. 나는 무엇으로 살아가야 할까? 나의 인생의 마지막에는 뭐가 있어야 할까? 에 대해 계속 생각했다. 사실 마지막 답은 있었다. 예전부터 다짐했던 행복해지는 것. 인생이 마라톤이라면 마지막 도착지에서는 '진정한 행복'을 손에 넣는 것. 방법을 모르니 고민했던 것이지 정답은 있었고 많은 사람 또한 같은 이유로 산다고 생각했다. 맛있는 것을 먹고, 재밌는 것을 보고, 사랑을 하고, 여행을 가고. 결국에 다 행복을 위한 레이스에서 한 순간인 것이니. 그렇다면 나의 최종적인 행복은 무엇일까. 더 많은 돈? 더 큰 명예? 가져야 하는 것에 집중하다 보니 끝이 없었다. 그렇다면 더 많은 돈을 벌지 못한다면 나는 불행해지는 것일까? 더 큰 명예를 갖지 못한다면 행복하지 않은 것인가? 그럼 도대체 나는 언제쯤 온전한 행복을 외칠 수 있을까 싶었다.

"너는 어떻게 이렇게 긍정적으로 살아?"

어느 날 산책을 하다 이 질문에 답을 해보고 싶어졌다. 살면서 많은 사람이 너는 왜 이렇게 긍정적이냐고 물은 적이 많았다. 그 당시 물음에 이렇다 할 명확한 대답을 하지 못했지만, 행복이 무엇일지를 곱씹으며 나는 그 답을 할 수 있었다. 첫째는 '매일의 소소한 즐거움을 찾아 온전히 즐기기 때문에.' 살면서 주위에 소소한 즐거움과 기분 좋은 순간은 많았다. 그 순간들을 나는 온전히 즐기고 행복해한다. 겨울에 길거리에 서서 호호 불어먹는 붕어빵, 퇴근길 만원 버스에서 자리가 났을 때, 사랑하는 사람들과 먹는 맛있는 밥과 웃음이 있는 대화, 쨍한 낮에 보이는 파란 하늘의 뭉게구름을 볼 때와 같이 사소하지만 기분 좋은 순간들은 매일, 작게라도 내 주위에 언제나 있었다.

둘째는 기분이 태도가 되지 않게 하고, 나의 좋은 태도가 기분이 되게끔 하는 것이었다. 예를 들어

서비스 아르바이트를 하다 보면 들어올 때 기분이 좋지 않아 보이시는 손님께 기분 좋은 태도와 말을 건네면 처음에는 조금 뚱한 반응이어도 마지막엔 웃으면서 나가신다. 처음에 퉁명스러운 얼굴에 좋은 말을 건네기는 어렵지만 내가 먼저 좋은 말투를 건네면 손님들 대다수도 웃으면서 말씀하신다. 그리고 어쩌면 그러한 이유로 손님은 또 그곳을 찾아주신다. 그리고 그런 순간들에 나는 행복을 느꼈다. 먼저 좋은 태도를 보이면 상대도 좋은 행동을 보이고 그러면 또다시 선순환으로 나의 기분까지 좋아졌다. 그런 행동들이 쌓이면 습관이 되고 높은 확률로 어떤 상황에서든 기분 좋은 상황들이 이어지는 경우가 많았다.

이러한 이유들을 생각하면서 행동한 것은 아니지만, 나와 대화를 나누고 나의 말과 행동을 깊게 들여다보니 그러한 것들이 내 안의 긍정들을 만들었음을 알게 되었다. 그리고 이유를 인지한 후에는 더 신경 써서 기분이 좋지 않은 날에도 그러려고 노력했고, 이러한 노력으로 나에게도 조금 더 기분 좋은 상황들이 생겼음은 분명하다. 아마 내가 나와의 대화를 나누지 않았더라면 긍정적으로 이유 없는 행동을

하면서 살았겠지만, 대화를 통해 이 또한 분명한 인과관계가 있음을 알게 되었다. 그래서 좋은 행동들과 이어지는 좋은 상황, 그리고 소소한 작은 즐거움이 모이면 하루 간의 나는 긍정적이고 즐거운 사람이 되고, 그 하루들이 모이면 평생이 되니, 그게 곧 평생의 행복이 될 수 있지 않을까라고 생각했다.

이런 생각이 정리될 즘 발걸음을 멈췄다. 코로나가 극성이던 한 여름날 밤, 피부에 느껴지는 싱그러운 바람, 온도, 습기. 모든 것이 완벽했던 그날 밤이었다. 그렇게 완벽한 날씨와 공기의 어느 날 밤 산책을 하며 또다시 작은 행복을 느꼈고 나는 깨달았다. '아 온전한 행복은 멀리 있지 않았구나. 다른 어떤 것과 비교하지 않고, 좋은 행동으로 매일 숨어 있는 행복들을 찾으면 그 하루가 모여 행복한 내가 되겠다고. 이렇게 막연히 답답한 상황 속에서도 즐거움을 찾아 행복을 느끼는 나는, 어디에서 뭘 해도 행복할 수는 있겠다.' 이게 나의 첫 번째 깨달음이었다.

그렇지만 누구 나와 마찬가지로 살다 보니 불행의 순간도 있었고, 슬픔과 우울도 찾아왔다. 그리고 내가 깨달았던 나만의 행복들도 희미해지던 어느 날 대학에서 한 수업을 듣게 되었다. 루마니아 문학 세미나 시간이었고, 루마니아 소설가이자 종교학자인 엘리아데의 '성과 속'의 개념에 대해 배웠다. 처음에는 크게 흥미를 느끼지 못해 조금은 지루하게 듣고 있었지만, 점점 교수님이 말씀에 빠져들었고 나는 그날 두 번째 깨달음을 얻었다.

　엘리아데는 삶에서 '성스러운 것'과 '속된 것'이 함께 존재한다고
말한다. 시간에서도 성스러운 시간과 속된 시간이 있다고 말한다. 우
리가 그냥 흘려보내는 시간들은 속된 시간이고 그러다 발현되는 무
언가를 깨닫거나 중요하게 의식을 행하는 날들은 성스러운 시간들이
다. 의미 없이 보내는 일반적인 속된 시간 중 각자마다 성스러운 시간
들이 다르게 존재할 것이다. 그는 일상에서 의미 없는 속된 시간은 계
속 흐르지만, 다시 성스러운 시간으로 돌아갈 수는 있다고 말한다. 우
리가 그 시간을 다시 기억하면 다시 그 시간으로 돌아갈 수 있다고 말
한다. 누군가의 생일 축하해 준다거나 기념일을 챙기는 의식처럼 말
이다.

　엘리아데는 종교인이기 때문에 성스러운 시간을 주로 종교적인 의
미로 말하지만, 교수님은 이 내용을 가르치시며 교수님만의 성스러운
시간, 그러니까 교수님이 이 이치를 깨달은 순간들을 말씀해 주셨다.
그러면서 다시 성스러운 시간으로 돌아간다고 하셨다. 매년 제자들을
가르치며 교수님은 교수님만의 성스러운 시간으로 매번 돌아가는 것
이었다. 그리고 엘리아데 또한 죽었지만 이렇게 책을 남겨 후대 사람
들의 기억 속에서 계속하여 성스러운, 의미 있는 시간들을 살고 있는
것이라고 하셨다. 난 이 이야기를 듣고 점이 너무 소름이 돋을 정도로
놀랐다. 엘리아데의 책에서부터 교수님으로 그리고 나에게로 전해진

그 순간이.

엘리아데가 말한 성스러움을 자신만의 의미 있는 순간이라고 이해했다. 삶에서 기억조차 희미한 순간들이 아닌, 진짜 기억에 남는 의미 있는 시간들 말이다. 이러한 시간들이 많아진다면 그 삶은 조금 더 온전한 삶, 온전한 행복한 삶이 될 것이다. 그래서 나는 나만의 성스러운 시간, 그러니까 앞서 말한 '행복을 깨달은 순간'을 떠올렸다. 나 또한 나의 성스러운 시간, 즉 의미 있는 시간이 하나 더 추가되었다. 그렇게 나는 의미 있는 순간을 두고두고 내 기억 속에서 꺼낼 수 있게 되었다. 이게 나의 두 번째 깨달음이었다.

이렇게 나는 나만의 행복의 공간으로 돌아갈 수 있게 되었다. 슬픈 일이 있을 때나 힘들 때도 다시 나의 깨달은 시간을 찾아서 문을 연다. 행복이 사라지는 순간에서도 또다시 나의 행복을 기억하려고, 내가 행복을 얻었던 순간을 기억하려고 나만의 의미 있는 시간들을 찾아가 문을 두드린다. 그러면 나는 나의 깨달음과 의미 있는 시간들을 다시 마주하고, 그것들은 다시 한번 딛고 일어날 발판이 되어 살아갈 힘을 주고 나는 또 한 발짝 나아간다. 내가 나아갔던 경험을 바탕으로 또 다른 미래를 계획하며 또다시 나아간다. 그리고 매일의 즐거움을 찾고 그것을 온전히 누리면서 행복해한다. 그러다가 평범하게 어김없이 힘든 시기가 찾아오면 다시 나의 시간들을 마주하고 이겨냈던 경험을 떠올리며 그것을 발판으로 삼아 다시 딛고 일어선다. 그리고 금세 다시 평소의 소소한 행복을 찾으러 일상으로 돌아온다. 이러한 삶의 방향으로 살다 보니 불행이 찾아와도 우울함에 젖어 있는 시간은 그리 길지 않게 되었고, 조금 더 빨리 우울의 늪에서 빠져나올 수 있게 되었다. 어떤 상황이 다가오든 이 생각들은 나에게 힘듦을 이겨낼 수 있는 무기가 되었다.

항상 고민이 생기면 나는 '나'와 대화한다. 최대한 객관적으로 꼼꼼하게 질문하고 답을 한다. 그리고 행동하며 그 안에서의 즐거움을 찾는다. 알지 못하는 미래에 대한 막연한 불안함은 있지만 더 이상 칠흑 같은 어두움이 아닌, 안개 같은 흐림이다. 밝은 날이 오면 걷히는 것을 아는 흐림. 소소한 행복을 누리며 살다가도 분명히 살다 보면 암흑 같은 어둠이 찾아오겠지만 나는 이제 안다. 어떤 불행이 찾아오더라도 금방 딛고 일어나리라는 것을. 온전히 평생 행복할 수 있다는 것을. 그리고 나는 또 하나의 나만의 의미 있는 시간의 공간을 남겨놓기 위해 이렇게 글을 쓴다. 평생 두고두고 나의 글로 돌아와 나의 의미 있는 순간을 마주하며 행복하기 위해서.

그리고 이제 이 글을 읽은 당신도 이 글을 통해 스스로의 행복을 들여다볼 수 있지 않을까.

어쩌면 같은 깨달음을 얻을 수 있지 않을까.

이 글로 하여금 당신만의 의미 있는 시간의 공간을 찾고 행복을 마주했으면 좋겠다.

어쩌면 당신도 나처럼. 이 글로부터 당신의 행복한 시간과 공간으로.

30일

白夜(백야)

白夜(백야)　경남 진주에서 태어난 경상도 사나이. 발라드 음악을 즐겨 듣고, 특
히 가수 신승훈님의 30년 팬이다. 특히 '어머니'를 랩퍼 비와이와
함께 노래한 'Lullaby' 라는 노래를 핸드폰 벨소리로 지정할 만큼
좋아한다. 필명으로 뱅크의 '아희재백야'를 줄여 백야라는 이름을
사용하고 있다.

인스타그램: @80.kangsh

군대, 군, 입대, 입영, 입영 통지서….

대한민국에 거주하는 남자라면 예민할 법한 단어들이다.

법령에 따라 한번은 다녀와야 하는 곳, 군대. 또한 국민의 4대 의무 중 하나로 지정할 정도로 대한민국에서 남자들에겐 민감한 사안임에 틀림이 없다.

2000년대 초반, 모 유명한 가수의 입대 논란은 20여 년이 지난 지금까지도 기사에 회자가 되고 있고, 최근엔 종교적 이유, 평화주의 신념 등에 따라 병역을 거부하거나 대체복무제로 병역을 대신하는 '종교적 신앙 등에 따른 병역거부'라는 것도 있다고 하니, 이유를 막론하고 무조건 가야 한다고 생각했던 나로서는 참 어이없었다.

'짧게 깎아버린 내 머리가 슬프다고,

까만색 모자를 사서 너는 씌워주고,

제대해서 그때도 우리 여전한 함께라면….'

군대 전역을 하던 2003년쯤엔가, 잠시 유행했던 노래의 일 부부분이다. 이 노래를 어느 날, 라디오를 통해 다시 듣게 됐는데, 그 후로 즐겨 듣게 된 이유는 단순히 이 노래가 좋아서라기보다는 이 노래의 제목이 나에게 와 닿아서였던 거 같다. 그렇게 며칠 동안, 이 노래만 들었었다. 단순히 힙합 장르에 흥이 절로 나는 랩음악이라서가 아니라 이 노래를 듣는 순간, 그리고 끝날 때까지 난 추억에 빠져 있었다.

어릴 때부터 늘 입대 관련 대중가요는 있었지만 내 인생에 파란을 일으키지 않았을 뿐이다. 이런 대중가요를 들으면서 언젠가 가야 한다는 생각이었지 절망적이거나 혹은 가고 싶지 않다는 부정적인 생각은 크게 없었다. 씁쓸하다거나 하지도 않았다. 단지 내가 가고 싶은 순간에 가고 싶었다.

2년 2개월. 내 인생에 절대 빠질 수 없었고, 지금까지도 아주 큰 비중으로 남은 단어. 그 어떤 무엇을 해도 다 될 것 같았고, 다 해낼 것 같았고, 나의 주머니 속도 가장 두둑했었던, 가장 행복했던 시기….

지금부터는, 내 인생에 가장 큰 비중으로 남은 그 시기를 추억하고자 한다.

1999년 12월 18일. 마음대로 휴학하고 바뀐 낮과 밤이 일상이던 어느 날 친구들과 꼬박 밤을 지내고 난 뒤, 아주 좋은 기분으로 집으로 들어와 거실 한쪽의 흰 봉투의 우편물을 발견했다.

간단히 세수한 뒤 편한 옷으로 갈아입고 따뜻한 온기가 있는 이불 속에 몸을 뉘었을 때 정갈하게 잘 차려진 밥상이 눈에 들어왔다. 배가 많이 고팠었던 탓인지 아주 맛있게 아침을 먹으며 배를 채웠다. 그리고 잠자리로 돌아와 이불 속에 몸을 구겨 넣었다. 이불 속은 따뜻했다. 그 따스함을 느낄 새도 없이 이내 잠이 들었다.

그렇게 6시간 정도를 잤을까? 발길질로 나를 깨웠다, 엄마였다. 눈을 비비며 고개를 나를 깨운 쪽으로 돌리려는데, 대문 우편함에서 꺼내 왔던 하얀 봉투의 우편물이 한쪽 모서리가 찢긴 채로 내 얼굴 위로 바람에 날리듯 떨어졌다. 그리고 내 귓가를 스치듯 나지막하게 입영 날짜가 잡혔다는 엄마의 한마디가 아련하게 들려왔다. 나는 잠이 확 달아날 정도로 깜짝 놀랐다, 그 어떤 동물보다 빠르게 일어나 앉았다. 내가 지원한 날짜는 분명 3월이었다. 조금만 더 놀고 싶었다. 날이 조금씩 풀리는 3월에 가고 싶었다.

뒤통수를 세게 맞은 듯했다. 하얀 봉투 속 서류를 확인하고는 순간적으로 그 어떤 행동도 하지 못했다. 분명 국가에서 온 우편물이었고, 입대확정일은 다음 달 18일이었다. 머릿속마저 하얘졌고, 망부석처럼 몸은 한동안 계속 굳어져 있었다. 이건 뭔가 분명 잘못됐고 절대 그럴 리 없다고 생각했다. 잠시 뒤에 다시 한번 서류를 확인하고 나서도 바뀐 것 하나 없는 이 상황에 말문도 막히고 화도 나지 않았다. 난 이

때까지도 그 서류에 누군가 손을 댔을 거라고는 생각도 못 했다. 그날 이후, 연락이 오는 친구들한테 전화가 됐든, 문자가 됐든, 마지막에 꼭 한마디를 덧붙여야 했다.

'친구야, 나 군대 간다.'

가고 싶었던 날짜에 가지 못하고, 문자를 통해 지금을 알려야 되는 이 상황마저 어이가 없었다. 고등학교부터 알고 지내던 친구가, 자기 랑 같이 가자고 졸라대던 상황이라 특히 더했다.

몇 달 전, 신체검사를 받고 입대할 시기가 다가올 때부터 입대를 어디로 해야 하나 고민하고 있을 때 친구 한 명이 항상 공군이 그나마 쉽다며 항상, 거의 날마다 같이 입대하자고 했었다. 그 친구는 아버지가 원사셨던 덕에, 일찍 군대라는 걸 몸으로 느끼고 있었던 것 같다. 그런 친구를 두고 나는 짧고 굵게 갔다 오는 게 나을 것 같다는 생각에 그 친구에게 아무 말 없이 시청에 육군 입대 지원서를 제출했었다.

그날부터 한 4일간은, 오는 약속도 끊고, 아무것도 하지 않은 채로 먹고 자고를 반복했다. 입대 소식을 접한 친누나, 사촌 형 혹은 가까운 친척이 가끔 집에 와서는, 제때 씻지도 않고 지저분한 모습으로 있는 나에게 꼭 한마디씩은 하고 갔다.

"굉장히 중요한 시기에 자꾸 놀기만 할 거가? 밖에 나가서 아르바이트라도 좀 해야 하지 않겠나?"

그들마다의 표현은 달랐지만, 결론은 하나였다. 흘러가는 시간을 허비하지 말라는 이것 하나였다.

'내가 왜? 어차피 입대하면 그만인데.'
위에 대한 대답이었다. 계속 원치 않은 시기에 가야 한다는 사실 때문에 날마다 늘 분노에 차 있었다. 난 그 분노가 극에 달할 때부터 자연스레 일과는 술이었다. 끊었던 연락을 다시 받으면서 자연스레 술약속으로 이어졌고, 일주일에 8일이 술이라고 할 정도로 날마다 술이었다. 그러면서 자연스레 친구들 사이에서는 제일 처음 입대하는 사람이 되었다.

통지서를 받은 날로부터 10일 정도가 지났다. 역시나 그날도 술 마시고, 게임방에서 밤을 지내려 하고 있었다. 저녁 7시쯤, 누나에게서 입대 전에 가족들이랑 같이 밥 먹는 약속이 있으니 하루 정도는 일찍 들어오라는 전화가 왔다. 아버지가 무언가 할 말이 있으신 것 같다고도 했다.

정확히 언제 입대하는지 입대 전 뭐 하고 지내는지, 아르바이트 같은 건 하는지 등등. 이런저런 잔소리 시전일 거 뻔히 알지만, 난 무서울 게 없었다. 어떤 것도 그 무엇도 하고 싶지 않았다. 적어도 입대 전까진 그랬다.

그렇게 밤을 뜬눈으로 게임을 하며 보내고, 집으로 돌아온 나는 다시 한번 잘 차려진 밥상을 발견하고, 허기진 배를 채우는 게 계속된 아침 일상이었다. 항상 그랬듯, 대충 씻고 편한 옷으로 갈아입은 뒤, 다시 잠자리에 누워 잠을 청했다. 여전히 이불 속은 따뜻했다. 반면, 이 따뜻함을 느낄 수 있는 날도 하루씩 사라지고 있었다.

그날 저녁, 집 근처 식당에서 가족들 다 같이 모인 저녁 약속이 있던 날에 일부러 15분쯤 늦게 도착했다. 그런 나를 보면서 늘 그렇듯 또 뭔가 못마땅하던 아버지의 잔소리는 예상보다도 훨씬 일찍 시작되었다.

"군대는 시간 개념이 중요해, 약속을 했으면 10분 정도는 빨리 와야지."

".........."

하지만 그러거나 말거나 당당하게, 늦었지만 늦지 않은 것처럼 자리에 앉았다. 계속 터질 잔소리를 방어할 생각에 귀를 닫았다, 먼 산도 보고, 실내장식도 보고…. 그러다 나에게 뭔가 물어보면, 못 들었다는 듯이 대꾸했다.

"너..."

"너, 지원서류에 3월이라고 써놨더라. 그거 내가 1월로 고쳤어. 고쳤는데, 이렇게 빨리 올 줄 몰랐구나."

"지원자가 많아서 바로는 힘들 것 같다더니, 그것도 아닌가 보네?"

그 말은 먹을 것을 앞에 두고도 아무 생각이 없는 뇌를 깨웠다.

"왜?"

"왜는. 마냥 너 하는 게 어려 보이고, 철이 없어 보여. 하는 말투도 그렇고. 네가 가진 게 뭐가 있냐? 학벌이 있어, 뭐가 있어? 그러니까 철이라도 빨리 들게 그냥 그때 갔다 오라고 내가 바꿨다. 그러니까 그 때 맞춰 갔다 오너라."

"………."

'너, 지원서류에 3월이라고 써놨더라. 그거 내가 1월로 고쳤어. 고쳤는데, 이렇게 빨리 올 줄 몰랐구나.'

'너, 지원서류에 3월이라고 써놨더라. 그거 내가 1월로 고쳤어. 고쳤는데, 이렇게 빨리 올 줄 몰랐구나.'

'너, 지원서류에 3월이라고 써놨더라. 그거 내가 1월로 고쳤어. 고쳤는데, 이렇게 빨리 올 줄 몰랐구나.'

이 말 한마디는 나의 굳건한 방어막을 한순간에 무너뜨렸고 귀를 심하게 자극했다. 다시 한번 하늘이 노래지고, 뒤통수를 맞은 듯한 커다란 충격이었다. 이때까지도 지원서류에 손을 댔으리라곤 꿈에도 생각 못했다. 하지만 그것은 현실로 나에게 다가왔고, 그 장본인은 다름 아닌 아버지였다.

날짜를 바꾼 이유도 너무 허무했다. 단순히 철이 없어 보여서 철 좀 빨리 들라는 그 이유에서였다는데 이런 지금 그 상황이 너무나 불쾌했다. 남도 아닌 내 가족이, 내 인생에 참견했다는 자체에 심한 불쾌감을 느꼈다. 식당에서 밥 먹는 순간까지도 다 끝내고 집에 왔을 때도.

또다시 술과 함께하는 일상이 시작되었다. 약속이 잡히면, 어김없이 술이었고, 그렇지 않으면, 내 방에서 한 발짝도 움직이지 않았다.

한 달이 지난 2000년 1월 16일. 그리고 입대 이틀 전, 이 모든 불쾌감을 표출할 시간도 없이 파르라니 깎은 머리는 자연스레 군인이 될 준비를 하고 있었다. 어쩌면 알아서 군인이 됐는지도 모르겠다.

이런 상황을 잘 알았던 친구들은 같은 얘길 했다. 그렇게 혼자 제일 먼저 떠나서 제일 먼저 세상에 나오지 않았느냐고, 내가 전역하던 그 해에 대한민국에서 열렸던 축구대회를 민간인인 상태에서 보지 않았냐고. 친구들은 하나같이 다 군인 신분으로 봤으니 그럴 만도 했을 것이다. 그랬다. 그것은 제일 먼저 고생했기에 제일 먼저 느낀 즐거움이었다. 원하지 않는 시기에 보낸 원망도 있고, 고생했기에 받은 대가도 충분했던 그 시기는 인생에 지금까지도 생생하게 남아있다.

제목 / My Wedding

입영 통지서 조작 사건 이후로도 아버지와의 다툼은 짜증이 나고 지겨울 정도로 계속되었다. 아니 이것은 겨우 시작에 불과했다.

아버지와의 마찰에서 최고는 단연 결혼이었다. 스무 살이 넘었던 해부터 이미 몇 번의 소개가 있었던 걸 보면 무척이나 혹은 되도록 빨리 보내고 싶어 하셨던 것 같다. 그때마다 어디서 무엇을 하던 사람인지 아버지와는 어떻게 아는 사이인지 기간은 얼마나 되었는지 그 어떤 관심도 전혀 보이지 않으며 계속 거절만 하는 나를 늘 못마땅해하셨다.

나 역시도 그때마다 줄기차게 거절했던 이유는 소개하고 받는 게 싫어서가 아니었다. 그전에 내 생각은 어떤지 혹은 그게 왜 그렇게 싫은지를 한 번쯤은 물어볼 법도 한데 전혀 그런 것엔 아무 관심도 없이 막무가내로 밀어붙이는 그런 아버지의 모습이 짜증 날 정도로 너무나 싫었기 때문이었다. 학벌, 능력, 혹은 요건 그 어느 것 하나 제대로 가진 게 없으면 그냥 소개해주면 아무런 이유 없이 받으란 식이었을 뿐 아버지는 나에 관한 그 무슨 일을 하셔도 내 생각은 한 번도 물어보지 않으셨다. 나에게 아버지란 늘 이런 모습이었다.

입대하고 첫 휴가를 나오던 날에 여느 때와 다름없이 가족끼리 식사하는 자리에 처음 본 여성분이 같이 동석하는 것이었다. 그러거나 말거나 생전 처음 겪는 군대라는 새로운 환경에 한창 적응 중이라 아무 생각이 없었다. 내가 뭐 대단한 사람이라고 손님까지 초대하나 싶었다. 그냥 한번 스쳐 가는 인연이려니 생각하고 있었는데 아버지의 의도는 그게 아니었다. 성인이 된 나이에 군대까지 갔으니 당신이 보는 앞에서 이성 간의 만남을 가지길 원하셨다.

물론 그런 부모의 그런 의도가 나쁘다고 할 수는 없으나 군인 신분이었고 그게 아니었을지라도 내 생각과 의견에 전혀 관심이 없는 사람 말은 그다지 따르고 싶지 않았다. 나도 엄연히 취향이라는 게 있는데 아버지에겐 전혀 그런 건 없었다. 아버지는 휴가 복귀 전 한 번 더 가지길 원하셨으나 짧은 휴가 기간에 10분이라도 더 쉬고 싶었다. 오는 연락도 끊고 남은 시간을 오로지 잠자는 것에 집중했다. 그렇게 간다 온다는 아무런 말도 없이 부대에 복귀했다.

그날 이후로 항상 휴가를 나오면 그 여성분과 부모와의 연락은 군 생활을 하는 중에 흐지부지됐다고 하셨다. 그러면서 꼭 덧붙이는 한 마디는 내 주제에 어디 가서 그런 사람을 만나겠냐는 것이었다. 그 말은 내가 전역하기 직전까지도 계속되었다.

내 주제가 어떤지는 아냐고 되묻고 싶었다. 어쩌면 그랬어야 했는지도 모른다. 줄곧 나를 누구보다 제일 잘 아는 사람이 당신 본인이라고 말씀하셨는데 무슨 자신감이신 건지 분명 나에 대해 잘 모를 텐데 당신이 아는 사실과는 흘러간 시간만큼 너무나 다를 텐데도 왜 그렇게 말씀하시는 아버지의 의도를 알 수가 없었다.

아버지로부터 그런 만남을 주선하는 자리는 한두 차례 더 있었지만, 위에서 언급한 그 이유 오직 그 하나로 계속 거절하고 또 거절했다. 그러다 명분 없는 싸움에 지치신 건지 시간은 나의 편이었고 어차피 답은 거절이기에 더 이상의 그런 자리는 만들지 않으셨다.

솔직히 아버지의 이런저런 말들이 그냥 싫었다. 제발 한 번만이라도 내 생각은 어떤지 물어보기라도 했었다면. 결국 나의 대답은 부정적이었을지라도 한 번쯤 고민해봤을 텐데, 행동으로 옮겨봤을 텐데. 그렇게도 나의 존재를 인정하지 않는 아버지가 언제부터 늘 원망스러웠다.

누군가 혹 부자지간 사이좋으냐고 물어본다면, 단호히 아니라고 말할 수 있을 정도로 지금까지도 사이가 그다지 좋지 않았고 물론 현재도 좋지 않다. 과거에서부터 아버지와 나 뿐 아니라 가족 간에 대화도 거의 없는 편이었기에 생각의 교류라는 건 있을 수가 없었다. 어릴 때는 그게 문제가 될 거란 생각은 못 했었는데 세월이 지난 지금 생각해보면 내 가족 간 갈등이 생기는 가장 큰 원인이었던 것 같다.

대화가 없으니 서로의 생각이 어떤지 당연히 알 길이 없었을 것이고 이런 것들이 괜한 오해를 만든 것도 하나의 이유인 것 같다. 상황이 이런데도 각자에 관한 생각 혹은 관심사들을 대화로 풀어 본 적이 없었고, 나 역시도 먼저 나서서 대화하고 싶다고 해본 적도 단 한 번도 없었다.

그것이 꼭 무뚝뚝하고 다정다감하지 않은 성격 탓이라고는 할 수 없겠지만 너무 어릴 때 각자의 인생을 찾으러 가신 부모님이었고 그때부터 부모의 정이라곤 느껴 본 적이 없었기에 사실 아버지의 존재감은 크게 와 닿지 않았다.

작은 혹은 커다란 마찰과 대립으로 연락하고 끊고도 여러 번이었다. 세월이 가고 날이 갈수록 아버지의 배려 없는 독단적인 행동은 심해졌다. 언제부턴가는 당신의 아들이 한국인과는 혼인이 힘들다고 생각하셨는지, 내 혼인 상대의 기준이 내국인에서 외국인으로 바뀌었다. 이 또한 내가 바라는 바는 아니었지만, 아버지는 전혀 아랑곳하지 않으셨다. 아버지는 가족들과 같이 식당에 가서 밥을 먹는 순간에도 종업원이 외국인이면 말을 걸기 일쑤였다. 자식을 그렇게 보내고 싶은 마음은 충분히 이해했지만, 그에 따른 부끄러움도 내 몫이었다.

거의 매번 그러시다가 언제부턴가 직접적으로 말을 꺼내기 시작하셨다. 스트레스를 제대로 받기 시작한 것도 그때부터였던 것 같다. 가족 혹은 친척 간의 식사 자리가 있을 때마다 결혼 문제를 언급하면서 주변에 외국인 전문 중매하시는 분, 외국인 여성 캐스터, 결혼 기획자 등이 있다고 하셨다. 그러면서 항상 끝엔 해보지 않겠냐는 식의 제안이 아니라 생각할 겨를이 없이 그냥 해라는 식이었다. 다들 그렇듯이 나도 내 인생이 소중했다. 그렇기에 국제결혼에 대한 좋은 점만을 내세우는 주변 사람들의 말만 듣고 주인이 말하면 무조건 들어야 하는 한 마리 개처럼은 되고 싶지 않았다. 짜증이 날 정도로 나의 존재를 인정하지 않는 아버지가 정말이지 너무 미웠다.

아버지의 칠순을 축하하는 자리가 있었다. 나를 포함한 누나, 매형, 그리고 조카들까지 한자리에 모였다. 그날도 당연하단 듯이 결혼에 대한 언급이 시작되었다. 우리 아파트에 이런 사람들이 있다로 시작해서 끝은 '해볼래?' 가 아닌, 그냥 해라는 식의 고정 레퍼토리에 내 인생을 내가 설계하지 못하게 하는 아버지를 이해할 수가 없었다. 터져오는 화를 못 이겨 대꾸라도 하듯이 뱉은 내 대답은 이랬다.

"어디까지나 내 인생이고, 결혼을 안 했으면 안 했지, 외국인하고는 죽었다 다시 태어난다고 해도 절대 하지 않을 것입니다."

치밀어 오르는 화를 주체 못하고 나도 모르게 짜증 섞인 말투로 답했다. 그런 대답을 들으신 아버지는 상당히 언짢아하시며 다시 내뱉은 아버지의 목소리는 화가 많이 섞여 나왔다. 싸움이 나기 직전까지 갔으나, 이를 지켜보던 누나가 중재에 나섰고 상황은 축하하는 자리라고는 전혀 믿을 수 없을 정도로 너무 좋지 않았다. 눈앞에 보이는 것들을 하나도 남김없이 엎어 버리고 싶었을 정도로 화도 많이 났지만, 한편으로 조카들이 보는 앞에서 자신이 너무 초라하고 부끄러웠다.

식사 자리를 끝내고 돌아오는 길에서 앞으로 이런 자리는 없을 것이라 굳게 다짐했다.

제목 / 책을 내면서 (Special thanks to)

책을 내고 싶었다. 작가가 되고 싶었다.
그냥 단순히 작가가 되고 싶었다.

중학교 3학년 어느 날 졸업의 거의 한 달여를 남겨 놓고 담임 선생님께서 말씀하셨다.

"우리 반에 하나의 아름다운 추억을 남기고자 졸업 문집을 만들 예정이에요. 그 어떤 장르든 다 좋으니까 개인별 적어도 한 편 이상, 최대 두 편. 이번 주까지 선생님께 제출하도록 하세요."

뭔가 특별한 내용을 담고 싶었다. 반 친구들 그 누구도 하지 않는 새로운 장르를 세상 하나뿐인 졸업 문집에 남기고 싶었다. 각자의 개성과 생각이 담긴 글을 써 내려가는 친구들을 보면서 고민 끝에 선택한 건 영화 시나리오였다. 이것저것 책도 찾아가며 용어도 알아가며 정성껏 쓴 나의 첫 작품이었다. 공모전 당선 같은 느낌은 아니었지만, 장면의 묘사도 배경 서술도 아주 부족했지만 짧은 순간에 한편을 남겼다는 것은 충분히 만족할만했다.

작가가 되겠다는 희망을 품고 산 건 위에서 언급했던 중3 때부터였고 그다음 해 고등학교 입학해서 졸업할 때까지 3년 동안 항상 장래 희망은 작가였지만 그 후로 이런저런 여의찮은 상황으로 잠시 작가란 꿈을 내려놓고 지냈다.

그 후로 긴 시간이 흘렀다. 잃어버린 물건을 찾듯 언젠가 작가란 꿈에 다시 도전해 보고 싶어 공모전 드라마 대본 혹은 글쓰기 대회의 문을 본격적으로 두드리기 시작한 건 지금으로부터 5년 전쯤부터였다. 머릿속에 무엇인가 떠오를 때마다 짤막하게 메모해 두었고 지금 상황과 기분 같은 것들을 일기로 남기기도 했다. 우연히 멋진 풍경을 접할 때는 상상 속에서 남자 주인공과 여자 주인공이 마주치는 장면을 그려보기도 했다.

성인이 되고 난 후 어디를 갈 때마다 나의 가방 속엔 노트와 볼펜 그리고 소형 카메라가 늘 있었다. 하루하루 쓰는 메모와 남기는 사진들은 글을 쓰기 위한 참고 자료였고 그날의 일기였다. 항상 글을 쓰고 싶었고 글 쓸 준비가 되어 있었다.

이번 글을 쓰면서 책으로 나오는 만큼 특별한 주제를 정하고 싶었다.

'그래 자서전 위주로 남겨보는 거야.'

후대에 남길 정도로 커다란 업적 같은 건 아직 없지만, 자서전을 남길 정도로 훌륭한 삶을 산 건 아니지만 6주라는 짧은 시간에 남길 수 있는 첫 번째 책의 주제로 나쁘지 않았다. 시간을 쪼개가며 글을 쓰면서 작가가 된 상상 속에서 행복했다. 어쩌면 이번 기회가 마지막일 것 같아 아쉬울 뿐이다.

비록 이 책이 온전히 작가의 삶을 열어 준 건 아니지만 직접 쓴 책을 한번 내고 싶었던 꿈은 2024년 5대 버킷 리스트일 정도로 너무도 간절했다. 이번 기회가 결코 이것으로 끝이 아닌 시작이길 바란다. 또다시 기회가 있다면 도전해 보고 싶다.

퇴고하기 직전 지금, 이 순간 지금까지 글 쓰느라 고생한 나에게 박수를 쳐 주며 수고했다고 말하고 싶다.

오랫동안 지금껏 나만 보고 사시는 우리 엄마. 귀여운 조카들을 나에게 보내준 누나.

1년 넘게 함께 하는 정흔 트레이너.

책 나온다고 하니까 꼭 사서 보겠다고 말해준 고마운 사람들.

의남매 동생 연두, 윤서, 승연, 설민, 이머.

그 외 꼭 사서 보겠다고 해주신 모든 분께 부족하지만, 이 책을 드립니다.

별들은 하루도 빠짐없이 반짝이고 있다

발행 2024년 5월 10일
지은이 최혜, 어효은, 이수영, 한량죠죠, SY, 김정헌, 채민, 白夜(백야)
라이팅리더 현해원
디자인 윤소현
펴낸이 정원우
펴낸곳 글ego
출판등록 2019.06.21 (제2019-67호)
주소 서울시 강남구 강남대로 118길 24 3층
이메일 writing4ego@gmail.com
홈페이지 http://egowriting.com
인스타그램 @egowriting

ISBN 979-11-6666-492-2